廢墟台灣

——深情典藏紀念版 III——

宋澤萊

前衛出版
AVANGUARD

目錄

宋澤萊深情典藏紀念版出版記

前衛出版社社長　林文欽

一九七八年初，我有著可能是人生最奇妙的一段際遇，本來我已調整好心情，準備要認份地去做一個身不由己的野戰排長，不明所以然，我竟在未被告知的情況下，忽然間成為師司令部的一名小小參謀官，駐紮在高雄旗山。大約每兩週一次，我休假返回中部崙背故鄉或北部寓地，路經高雄火車站前書店及書報攤，我總要駐足許久，激越地尋覽最新出版的文學書刊或前黨外政論雜誌。某天，就在書架角落邊，我翻到了一本不起眼的長篇小說《廢園》。噫！竟然是寫著我極其熟稔的故鄉農園景象，和若我一般曾經也有過的慘綠少年歲月。作者廖偉竣，是誰呢？莫非是那個我在夢中曾經照面的鄰鄉田庄兄哥！

這是我和廖偉竣結緣的開始。緊接著的一年，廖偉竣就以宋澤萊之名，英姿煥發地成為其時台灣文壇的耀眼新星，他的生身故鄉「打牛湳村」也大大地轟動了。「打牛湳」！一個離我家僅五、六里遠的傳統農村聚落，我小時即常聽聞，那裡也曾有著我父祖輩的西螺七崁的親戚友伴呢！

也因著這層魂牽夢縈的關係，我開始渴嗜地搜讀宋澤萊新作。而宋澤萊也以驚人的爆發力，密集不斷地有震撼性的小說發表。他用文學語言對台灣這塊悲苦大地的深邃描寫，直叫我驚呼：他該是我們這一代不世出的寫作天才了。

退伍後，我有幸進入文化出版界，在台北三民書局練功三年十個月之後，我開辦「前衛出版社」，頗想著可以為我們被踐踏的台灣作家發聲。理所當然，宋澤萊另一波攪動文壇的《禪與文學體驗》就成了我的創業書之一。往後，我們好似有著根本不必言說的默契，宋澤萊是前衛緣定要刻意經營的一個作家；或者也可以說，前衛其實就是宋澤萊緣定要救贖營造的一個出版社。所以，前衛前前後後總共出版了宋澤萊二十餘本的著作。假若說前衛有什麼可資歷史留名的業績，宋澤萊絕對是前衛的最大支柱。他的文學和評論所帶起的風潮，也是前衛最足於向外人誇示的血淚戰績。

我想，只要是稍微有意觀照本土文化動向的人，任誰都可以看得出來吧，我和宋澤萊是有著極為濃厚的革命情感的。我們盡一切心力，總試圖要翻轉某種加諸台灣的有形、無形精神枷鎖，期待台灣新社會出現。我們盡力了，至於成效如何，那就要看我們台灣眾生是如何看待我們苟活著的這個「殖民地台灣」了。

◇

忝做為一個出版人，說刻意要經營一個台柱作家，我恐怕是非常不夠格的生意人，我心裡總有著太多的「隨緣」「隨喜」傾向。但是我一貫也有偏執鍾愛的脾性，那就是：只要有讀者需要，我要讓我心意所屬的重要著作持續流通。台灣的圖書流通機制太現實可怕了，但我就是不信邪！這也就是為什麼宋澤萊作品在前衛會有數種不同版本出現的原因。而事實上，宋澤萊讓我把他的版稅永遠記在壁頂的情份，我真的是對他十分虧歉，不知如何可以報答。

閑愁之時，我常再翻讀我曾經出版過的宋澤萊作品。好奇怪，每次總有不同程度的靈魂悸動。除了佩服他的文字魅力之外，不禁也要讚嘆：我們台灣人作家竟有人可以如此玄妙地掌握、駕馭中國文字，天才畢竟就是天才！我私自惕勵自己，我可不能讓這顆天生的慧星在我手裡泯滅。所以心底總有「我要再好好整理宋澤萊」的一股衝動念頭，成不成，就看天意因緣造化了。

這次，趁著宋澤萊得到國家文藝獎的契機，我把本來就常想著的宋澤萊四本代表性小說，用「宋澤萊深情典藏紀念版」的名義重新包裝出版。我並無意要宣示什麼，只想告訴讀者，這宋澤萊經典級的舊作，讀來卻有歷久彌新的味道；而且是更含帶著宋澤萊和前衛的赤誠深情的，這應是我們給打牛湳世代讀者群的一份最佳獻禮了。

底下，就讓我來說說我為什麼特別鍾情宋澤萊這幾本小說的初衷原委吧。

《打牛湳村系列》

這是宋澤萊突然間闖進文壇的成名代表作，對他應有彌足珍貴的特殊意義。相較於他第一次由遠景所出版的《打牛湳村》，這本《打牛湳村系列》的新版本，應可看出一些我的編輯鑿痕。對我個人來說，打牛湳的笙仔、貴仔、花鼠仔、大頭崁仔，〈糶穀日記〉中登場的眾多庄裡人，就是我所理解的台灣農鄉人物的原型了；但宋澤萊賦給了他們深層的文化意涵。整個「打牛湳村」，是活生生地進入歷史了。

《蓬萊誌異》

這是宋澤萊創作高峰期的自然主義代表作，是宋澤萊有意經營的計畫寫作。光看宋澤萊表明這是要寫給台灣兄弟姊妹的人世間小書，就可感覺他下筆時內心所懷帶的悲憫之情。的確，我們殖民地台灣的父老確實有太多隱忍的痛苦、憤懣、悲傷要訴說的，宋澤萊替他們申冤了。《蓬萊誌異》是我最常介紹給人讀的一本小說，實際上我也要測試一下台灣知識人的感情，我常想：讀者們應是有感情而有感覺和知覺的，不然文學何用？讀過這本小說，若再是「無感」，那真是鐵石心腸了。

《廢墟台灣》

宋澤萊又出其不意地丟出一顆炸彈了！在戒嚴時代出版的這本「社會預警小說」，只能說是令人震慄地「驚動萬教」了。這本小說，他之前曾試圖投稿給幾個報刊，據說有一位副刊主編讀著讀著時，竟胃痙攣起來了。當然他們不敢發表。宋澤萊只好把小說原稿丟給我，就直接出版了。老實說，當時要出版這樣的一本「危言聳聽」的書，我可是抱著豁出去的心理打算的。讀者當知，當時的恐怖政治，統治者要揉死一隻螞蟻是易如反掌的。結果，書沒查禁，還因緣際會地被選為當年度最具影響力的書之一。我人也沒事，但我開始明顯感覺，我出版社巷口好似有人不定時站崗的鬼影了。

有文學評論家說這本小說是「以古諷今的黑色幽默寓言」，也是啦，宋澤萊就曾在書內毫不留情的自我消遣了一番；但最後當核電廠爆炸，台灣成為一片廢墟時，那個「ＴＮＮ村的小宋的作家」也不知葬身何處了。宋澤萊顯然是要嚴肅提出廢墟警訊的，他由一九八四年美國三浬島核能事故所獲得的啟示，台灣有朝一日也可能會有萬劫不復的核電災殃，證諸蘇聯車諾比、日本三一一福島核災的應驗，台灣是隨時危在旦夕的，台灣人，你還要麻痺、毫無警覺嗎？

《血色蝙蝠降臨的城市》

這是宋澤萊停筆小說寫作七年後再出江湖的應然之作，他終究是要寫小說的。而且如同以往的他的文學試煉，他又用新藝綜合體的手法再一次推進他的小說實驗風格。故事寓意在血色蝙蝠盤旋的異象貓羅城，我倒是覺得他更要表達的是如假包換的台灣現實黑暗社會現狀：黑白兩道、黑金政治、黑心商品、黑色廟堂、商戰爾虞我詐，甚至女性的復仇……都出現了。林林總總的混亂，像極了當今的台灣。

◇

下一步，我還想要再重新整理宋澤萊另一本《抗暴的打貓市》，這本寫「一個台灣半山家族故事」的小說，意義太重大了，原因是它居然是用我們的台語文字寫成的。天可憐見，我們如今走在「雲端」的台灣知識份子，其實有百分之九十九點九根本就是台語文字的文盲；但宋澤萊率先起義，他用作品證明，他成功了。

我始終認為，宋澤萊就是宋澤萊，本無需任何其它外在名份來加持，他擎舉的台灣新文化的大旗已說明了一切。即使是在我們台灣一向浮華幻彩炫麗的創作界和讀書界，宋澤萊也一直就是一個如實的存在。是以，我現在以著奉為寶典的素心，重新再推出宋澤萊的作品，於我和宋澤萊多年來的戰友情誼，恰是頗富紀念價值的。但我也衷心期盼，我親愛的台灣兄弟姊妹和新起的世代，若你心內有台灣，可要好好讀一讀宋澤萊，再來感受一下你我或許都還保有的台灣赤子心懷。

我頂禮膜拜。感恩。

國家文藝獎得獎感言：人心的剛硬與難寫的預言

宋澤萊

我要談談文學家和預言的故事。

文學家是一個廣義的預言家，他們的作品實際上是一種廣意的預言，因為我們都知道：文學作品一直宣說事情的可能性。所謂的可能性就是說它能夠讓未來的眾多事情對號入座。譬如說自從《羅密歐與茱麗葉》或《少年維特的煩惱》這些故事被創造後，世界不知道發生了多少雷同的悲劇愛情故事。

提到文學作品與正式預言扯上關係並不只是近代文學才有，它的起源可能和文學的娛樂功能同樣古老，也即是說自古就存在。

《聖經》這本完成於上古時代的書籍其實就是一本記載著大量預言的書籍。在〈使徒行傳〉第一節到第十一節，記載著耶穌經過被釘十字架、埋葬、復活後，整整有四十天的時間，他又和他的門徒們相聚的若干故事。當時，門徒們大概認為棲身在猶太教勢力龐大的耶路撒冷是一件對生命充滿威脅的事，或者至少會使得傳播基督教變得一籌莫展，門徒們告訴復活後的耶穌說，他們想離開耶路撒冷。為此，在耶穌即將飛昇天堂離開他們的那一天，當著門徒的面，說了一些簡短的預言，大概的意思是這樣的：「不必急於離開耶路撒冷，聖靈就即將要降臨了！當聖靈降在你們身上時，你們會忽然具備巨大的神能，能摧垮猶太人和一切外邦人的阻擋，最終就會把基督教傳到耶路撒冷、猶太全地、撒瑪利亞，直到地球盡頭。」耶穌說完，就冉冉升天，直到一朵雲把他接走為止。當耶穌說這些話時，事情還沒有發生；不過兩千年之後的今天，基督教果然已經廣傳世界，就是地球的南北極，都存在著信仰它的人。這卷〈使徒行傳〉記載著更多的預言，作者是當時的希臘人醫生路加，不過所記載的預言都是別人所宣說的預言。

《聖經》裡還有一些文學家比路加更大膽，直接書寫自己從神那裏體會到的、聽到的預言，約翰所寫的〈啟示錄〉就是一個典範。

《聖經》只是部分的例子。我認為在上古和中古的大半地球上，文學與來自神的預言密不可分，並不限於某個地域的某個民族，因為那時是個神權時代，大半的文學就是神的言語和行誼的記載。我也認為，這個漫長的時期是文學預言家的黃金時代。因為記載預言的文學家，只要出於忠實，不管預言是否成真，他都不必負責任，因為預言來自於神，與他無關。同時，在那個時代，神的話語深受人類的信任，人們的心非常柔軟，能無條件相信那些文學家所記載的故事和教條，甚至熱烈的奉行它們，終至於形成蘇美、埃及、猶太、希臘、基督教、回教……等等的倫理文化。對於文學家而言，可算是最大的光榮和貢獻。

可是，中古時代過後，寫預言的文學家就沒有這麼幸運了。

◇

我們先談現代。

艾略特（Thomas Stearns Eliot，1888-1965）是一九四九年諾貝爾文學獎的得主，他可算是時代的先知。一九二二年，他寫了詩作《荒原》。在那首詩裡，當他寫著：「我說不出話，眼睛看不見，我既不是活的，也未曾死，我什麼都不知道，望著光亮的中心看時，是一片寂靜。荒涼而空虛的是那大海。」時，已經暗示未來人類的精神狀態將是一片荒蕪。詩人筆下的「荒原」土地龜裂、石頭燒紅，草木凋萎，人類精神恍惚渙散，上帝與人、人與人之間不再有聯繫。艾略特所描述的狀況，就是一九二二年迄今，接近一世紀的人類生活狀況。沒有人可以否認他寫了一齣了不起的預言。

接著是赫胥黎（Aldous Leonard Huxley，1894-1963）於一九三二年發表的反烏托邦小說《美麗新世界》。赫胥黎假設將來有一個人類社會，被科技所控制，人類被劃分成五個階級，每個階級都有一定的任務，尤其是第五階級被強制以人工的方式導致腦性缺氧，把人變成痴呆，好使這批人終身只能以勞力工作。權力最大的管理人員用試管培植、條件制約、催眠療法、巴甫洛夫條件反射等科學方法，嚴格控制各階層人們的生活。這本小說預言了如今的科技社會，所有的人都在科技人員的管理底下，過著被制約的生活，毫無主動性可言。

另一位是歐威爾（George Orwell，1903-1950），他在一九四九年出版了《一九八四》這本描寫極權監控統治下的新社會小說。一九八四年，世界有一個「大洋國」，由一個從未露面的「老大哥」統治一切。社會裡到處都是標語和一張大人像，標語寫著「老大哥正在監視著你」。老大哥的統治技術之一是監視器。在「大洋國」裡，電屏佈滿在人行道、樓梯口、走廊、街道，它們竊視人們的一舉一動。這本小說預言了如今現代化政府的社會控制手段和人們的無奈。

以上三位都是英國作家，卻可以代表同時代全球的預言作家，他們預言的犀利和神權時代的預言家可說不相上下。但是我說，他們已經沒有那麼幸運了。首先是：他們已經不能用神的名義說預言，他們必須表明，這是他個人所做的預言。因此，作家就必須背負心頭重擔，擔心他們的預言是否只是一場胡說八道。由於缺乏信心，這些寫預言的文學家所預言的災難要不是發生在整個歐洲，就是全球，企圖讓更多人對號入座，以保住他的預言不虛。同時，沒有信仰的現代人的人心已經剛硬了，他們對任何預言毫不在乎，痞子一般的現代人似乎說：「我們不在乎你們的預言，不管世界變得如何，習慣了就好！」因此，自從眾多的作家做了預言以後，如今這個世界看起來仍然一樣虛無，科技控制越來越囂張，獨裁專制日甚一日。

對於寫預言的文學家而言，現代人的這種態度簡直能夠叫他們憤而折筆、永遠罷寫。

◇

時間來到了後現代的今天，預言更難寫。

由於人心的剛硬更甚，對於所有的預言已經發展出更痞的說詞，他們說：「也許預言是對的，但是我們不怕，因為災難會在別的國家身上發生，可就是不會發生在我們的國家裡。」美國人不願意簽訂「京都協議書」，就是這個態度的典型代表。這種自私的看法，叫人憤怒。由於洞視到人心已經變成鐵石，於是，作家只好改變預言的寫法。除了把預言說得更恐怖（乾脆預言人類將在災難中大量滅絕）以外，就是直接指出災難將會降在某個國家或某個地區。企圖用這種更直接的恫嚇，引起人們多在乎預言一秒鐘。我們看到，在一九七三年，日本作家小松左京出版了一本叫做《日本沉沒》的預言小說，內容宣稱有一位地理物理學家發現日本在一年內將會發生地殼變動，大半列島將會沉入海中。日本政府知道這是無法逃避的事實之後，啟動一個計畫，將日本人陸續移出日本之外，資產也轉移到國外。跟著地震果然加速發生，最後日本列島終於被撕裂成碎塊，沉入海中，日本人終於流落四方，成為無土而寄人籬下之人。這本小說立即轟動日本，成為日本人的噩夢，隔年立即拍成電影，後續更拍成電視劇。

《日本沉沒》是一個樣板，告訴想寫預言的文學家，未來如果要寫災難，必先指定某個地區或國家，絕不能含糊。就像是二〇〇四年，美國也拍了一部電影，叫做《明天過後》，災難所發生的地方就側重在美國的紐約。不過，這麼一來，未來假如要寫小說，就必須更仔細描寫某個個別地方，不能模糊籠統；同時作家最好是半個科學家，推理必須可信，否則他的小說可能沒有辦法震醒人心剛硬的讀者。如此，可以想見，由於條件苛刻，將來寫預言的文學家可能會變得越來越少，終於成為一個絕響。

◇

我說了半天，無非抱怨由於人心的剛硬，預言文學作品越來越難寫；不過文學的預言卻更加聳動和不可漠視。也許當人們完全漠視文學預言的時候，世界末日真的就到了。

說到這裡，一定有人知道我要介紹我得獎的小說之一《廢墟台灣》了。沒錯！正是如此。這本小說預言台灣人由於漠視公害撲擊的威力和核能發電廠潛在的危險性，在二十一世紀初期，終於導致核電廠爆炸，台灣瞬間變成一座巨大的廢墟，台灣人幾乎全部滅絕。自一九八五年出版這本書以來，如今已屆二十八年的書齡。儘管這本書曾經當選當年最具影響力的十本書之一，但隨後，並沒有引起多麼廣泛的注意。這麼多年以來，身為作者的我的心情並不輕鬆，常常處於焦慮的狀態中，我多麼害怕自己的預言成真！因為它已經完全猜中了烏克蘭的「車諾比事件」和日本的「福島事件」；這兩個事件的悲慘情況，恰巧和《廢墟台灣》所寫的一模一樣；如果發生在台灣，台灣當然變成一片廢墟。我擔心的還不只是無法完全操控的核分裂本身，而是台灣的人心比世界各國更加剛硬，吉凶不分；歷來主政的人的心更是剛硬中的剛硬，他們患了唯利是圖、貪圖目前的惡性心病，對於核電廠的興建從不曾鬆手，卻是草率行事。我感到危機就要發生，因此，藉著得獎的機會，懇請更多想瞭解核電可怕的人再翻閱《廢墟台灣》這本書；並呼籲那些對核電廠興建充滿盲目熱情的人回頭是岸、臨危止步，則生民甚幸，台灣甚幸！

——2013、07、28於鹿港

想起：宋澤萊

林文義

東港海岸少尉的軍服
像沈鬱的晚潮漸藍
方剛辭別學院歷史系
青春之你或者會思索台灣
未若我在府城學習渙散
讀昔之哲學卻不思不想

濁水溪南邊你的打牛湳
——註①
故鄉的村名竟成小說
退伍後以文字替農民控訴
北城之我依然耽美虛無
被剝削被侮辱被欺瞞
長夜讀你終於泫淚領悟

相與年代的父親何以默言
從南洋死不去的絕望回家
或者菸酒沈寂的老靈魂
太陽下父親陰雨濕冷的心
偶而也會興致的說從前
我們往後皆清晰記下

相與年歲的你我滿六十
蓬萊誌異更為迷離　——註②
廢墟台灣不再美麗　——註③
一生文學究竟印証多少
曾經奮力尋求潔淨的島嶼
台灣未竟的下一代何處去？

（註①、註②、註③為宋澤萊小說三書）

如此響亮，如此溫柔（註）

國立東華大學華文系教授 吳明益

宋澤萊老師的小說向來被認為在台灣戰後的小說史上有極重要地位，幾乎不可能有評論者能繞過他的小說而能陳述文學史。這麼多年來，評論者常以「現代主義」、「寫實主義」、「魔幻寫實主義」，或者是宋老師自稱的「照片寫實」……等小說技巧的切入角度為主，探討文本中的社會、政治意識為輔，或涉及宗教意識與靈性思考，幾乎已經成為解讀宋澤萊的繁複卻必要的門徑。

幾年前我寫了一篇論文，卻用生態批評的方式，解讀宋老師（或應說廖老師，但為免誤解，以下就都稱宋老師）的小說。所謂生態批評主要是觀察小說中自然物或景觀描述的隱涵意義，並從小說作者構造的文本時空中，詮釋出其間所透顯的人與自然互動關係。有時情節或人物並不直接涉及，但卻可能隱含對此一議題的「態度」。這是因為我發現在宋老師多變的創作手法裡，除開早期所謂心理描寫的作品，一直有一個不變的特質，便是他對小說中場景著意的、細膩的描寫，當然也包括了他對自然景緻的描寫，即使最新的作品《天上卷軸》都有這樣的特徵。

其次是，宋老師的作品有一個貫穿的精神意識，那就是對宰制性政權與機械性社會的反抗。他常刻意以一種詩意的語言呈現出人物與居住地的「情感關係」，並且在這情感關係之上，以更超然的自然或宗教意識觀看。

於是我在那篇論文裡，便從他的「打牛湳村」系列作品，一路談到《廢墟臺灣》，而以〈環境傾圮與美的廢棄〉為題。其中《廢墟台灣》這本小說的引言，鋪排了史賓格勒《西方的沒落》、芥川龍之介〈河童〉、藍波〈文字的煉金術〉的幾段話。其中有幾句深具隱喻性，分別是：

「一個反地域的、蒼涼而無前途的生存狀態。」（《西》）

「沒有耳朵的河童是不會懂的。」（〈河〉），以及

「那是陰暗與旋風的國度」（〈文〉）。

我以為，這幾句話或許可以看出宋老師在《天上卷軸》之前創作的根本。撇開這一切，對一個讀者如我而言，宋老師作品最動人之處仍在於他以文學對視人生的力量，用宋老師自己的語彙來說，就是有時凝視現實，有時過分凝視現實，有時又如此地超越現實。

我想已有太多評論者用各種方式評價宋澤萊老師的文學成就，特別是在他獲得國家文藝獎之後，他的作品將更被聚焦。宋老師自己也對自己的作品做過諸多的自我陳述，不論是文學、政治評論眼光，或是從佛學、禪宗到基督教的宗教體驗與信念的散文書寫。宋老師可以說是一個全面性面對自我靈魂，並且將之訴諸讀者的作家。

因此我在這裡，想再以另一個角度來談談我所認識的宋澤萊。

◇

一九九三年我到軍中服役的時候，覺得世界罩著一片白霧。我尋找操課與辦公的空檔寫著我沒處發表的小說，然後在一個偶然的機會，投到了宋澤萊老師主編的《台灣新文學》。不久後我接到宋老師的長途電話，他在遙遠的另一頭，和我談話許久，像是要把他的寫作經驗透過電話傳遞給當時還不懂小說是怎麼一回事的我知道似的。

後來我的一篇小說被雜誌選入「王世勛小說獎」，我赴台中領獎，那是我第一次見到宋澤萊老師。將近二十年過去了，我還記得當時宋老師穿著一件白襯衫、西裝褲，褲子略微短了一些。他握住我的手，我從來沒有被那樣有力的手握過。我向來是一個對長輩叛逆的人，當時也對自己的作品不受讀者與評論者青睞而感到焦躁，宋澤萊卻給了我這樣一句話：「汝著加寫，寫偌長來我攏刊。」（你要多寫，寫多長我都登。）

念研究所後我再次接到宋老師的電話，他要我把手邊的稿子都寄給他。再過一段時間，九歌出版社的陳素芳主編打電話給我，表示九歌出版社要出版我的小說集了。我就這樣懵懵懂懂地收到校對稿，直到去出版社領取新書時，都還像做夢一樣。

可以說，沒有遇到宋澤萊老師，或許我不可能寫作至今。

◇

猶記在當時宋老師特別鼓勵小說家胡長松、王貞文幾位寫作者，每每回信都很長，也會在信中討論政治、文學、宗教議題。我當時覺得不可思議的便是宋老師的博學強記與落筆速度，看他傳來的信彷彿就像精心的論述，甚至是一本長篇小說。有些信長達數千字、上萬字，且裡頭無一句虛言。這種驚人的意志與用功，讓我至今養成了不敢懈怠的態度，畢竟像他這樣的天才型作家都如此，何況是我等之輩？

從彼時的通信中，我發現宋老師特別鍾愛波蘭詩人辛波絲卡（Wisława Szymborska）、捷克詩人賽佛特（Jaroslav Seifert），以及自認為是波蘭人，出生在立陶宛，後來流亡美國的米洛茲（Czesław Miłosz）作品。他後來把這系列的討論發表在報紙上，部分收入了《宋澤萊談文學》這本書裡。

我還懷念著彼時像期待黑夜一樣期待著宋老師信的心情。有一系列他寄給小說家胡長松的信討論了辛波斯卡，他把詩人的詩譯成台語，細緻討論。至今我還留著那些檔案，偶爾心有沮喪時，我會打開念一段。不可思議的是，辛波絲卡詩的台語版和國語版念起來大不相同，彷彿詩又多了一分母親的親切。

宋老師曾出版過幾本詩集，包括早些的《福爾摩莎頌歌》以及後來的《一枝煎匙》和《普世戀歌》。許多人都驚訝於他的詩語言如此質樸，和小說大不相同。但這是因為他說為了推廣母語詩寫作，不應該一開始就寫得太艱澀而使讀者卻步。只是從另一方面來看，我以為或許他寫詩的用意是，身為小說家的他得有時避免「過分凝視現實」。

有一封信寫的是後來似乎沒有出版的小說《通靈者》的序，裡頭寫到他猶豫出版的一個原因是，小說裡暴露了太多自己的往事經歷。他不願把這樣的經歷直接陳述出來，因為他想：「埋藏冤屈是好的，這是我們的命運，我絕口不提自己所遭到的侮辱，表示我不願在殖民者的面前哭哭啼啼故示軟弱，我要有男子漢的勇氣去承擔……。」這段話或許也可以當成閱讀宋老師近年作品的一個閱讀關鍵：那些魔幻、入神的描述，一面既是他的宗教體驗，也是一種不要過分凝視現實的透視，就跟詩的作用一樣。

◇

宋老師的文學對我的啟發除了對語言的近乎苛刻的要求，還在於對母語的信念，以及對民間生活的永不離棄。他在談米洛茲的詩作時提到：「只有使用過母語創作的詩人，才會知道母語創作的好處。其實用母語寫詩效果非比尋常，透過母語，你會一直聽到隔壁鄰居、街頭馬路的聲音，很親切的那種；更教人高興的是會聽到一種永續不斷的民謠、民歌的旋律，它們布滿在我們生活的角落，那麼的自然，那麼的溫柔，你會發現你不是單獨在那兒寫詩，彷彿是有千千萬萬的鄰居都在幫你寫詩。」寫詩因此逃離了「嘔心瀝血的狀況」，而變得美好。也因此，我總以為閱讀或分析宋澤萊老師的作品時，極重要的是了解他對詩的概念與文字中呈現的詩意，它們保護了讀者，不被那個殘酷的世界所傷。

偶爾我們也會收到宋老師的演講講稿，他的講稿總是綱要井然，一絲不苟，不憚細繁。一回他寄來題為「怎麼寫小說」的講稿，裡頭有幾句話到如今纏繞我心。他說「描寫一種氣勢要叫它千軍萬馬」、「把風景中最常見的景象，仔細加以描繪，就會造成一國一地文學的特殊性」、「對小人物的刻畫要真實，甚至不留情面，但要有悲憫心」，以及「神龕、神廟、古蹟、帝國會毀於時間之中，文學不會。」

我很想為這篇既非評論也非散文的文章，做一個能符合我心裡宋澤萊文學形象的結語，但實在做不到，因為他的作品裡頭的聲音是如此響亮，也如此溫柔。於是我只好以我讀過宋澤萊老師所譯米洛茲的詩〈該，不該〉（Should, Should Not），做為這篇文章的結束。這首詩裡的意象，是如此接近我認識的宋澤萊，以及他的作品，也如此貼近我想像的文學與人生。

一個男人不該愛上月亮
一把斧頭在他手中不該失去重量

他的花園應該聞得到腐爛蘋果的氣味
以及生長一大片的蕁麻

一個男人談話不該用話同情他自己
或打破一顆種籽發現裡面有什麼
他不該掉落一點點的麵包屑，或者吐痰在火裡
（這些至少我在立陶宛就被教導過）
當他踏上大理石的階梯時
他可能，粗魯地，試著用鞋踏破大理石
只因石階終究不會留下任何他的腳跡

（註：標題是以宋澤萊老師所譯米洛茲詩作〈罌粟花的寓言〉裡面的一句：「如此的大聲，如此的溫柔」，稍加修改的。）

目次

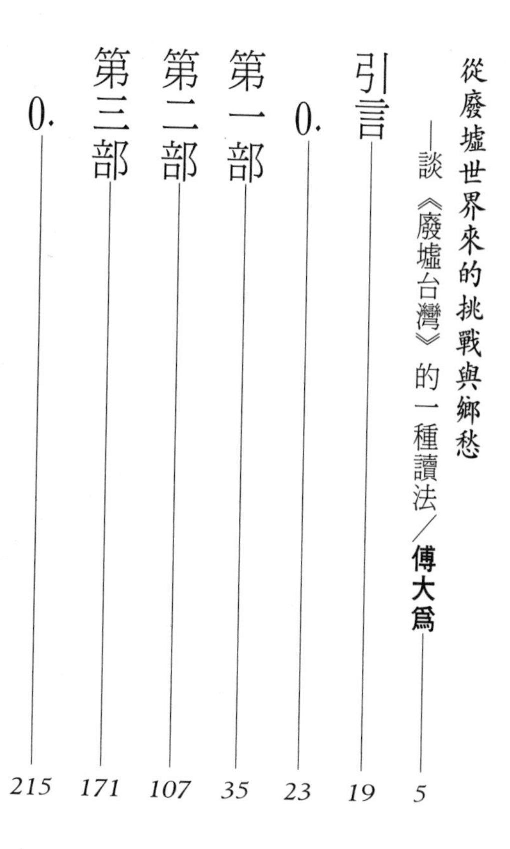

從廢墟世界來的挑戰與鄉愁

——談《廢墟台灣》的一種讀法

傅大爲

《廢墟台灣》是一本未來小說，但是，裡面卻充滿了從未來世界來看古典社會（今天）時的那種無奈鄉愁與黑色幽默。所以，它有一種很特別的「寫實」味道。看它所展現的那種時而超寫實，時而寫實的世界，筆者覺得時下一些號稱寫實的小說反而不能企及。《廢墟台灣》另一方面也具有許多類似於未來藝術的特性。它類似於七〇年代以來許多未來式的黑色電影，它們的特色都是「以未來諷古典」，這和傳統式的「以古諷今」剛好反其道而行。這種表現手法的效果往往十分強烈。未來的世界往往有更充裕的可塑性，好讓作者自由發揮他黑色的想像力。最後，《廢墟》一書也是一本末日的啓示錄，它起於史賓格勒「西方的沒落」的引言，它終於一些怪異的「東方的諾亞（挪亞）」堅忍地在東海廢墟中活下去。

當然，《廢墟》一書有別於一般無聊、非寫實的「科幻小說」。它也不是一部以「藝術」的手法、企圖來說服「思想複雜」的讀者，並兼顧到「文化社會或人性上的多種因素」的一本普通的政治小說（「普通」的意思是說：認爲該以這些基本前題來寫政治小說的想法也不過是一種很「普通」的意識形態罷了）[1]。

讓我們現在試試本文第一段所提供的一些觀點來看《**廢墟**》一書。

對思想上無論是複雜、混亂或單純的讀者而言，《**廢墟**》所呈現的西元二〇一〇年的「未來臺灣世界」，有一點很令人驚訝：無論天空中充滿了多少浮塵、廢墟風暴，無論地上充滿了多少輻射與殺人噪音渦流，這個未來世界的心靈世界卻是異常坦白、赤裸、直來直往而乾脆。通常在古典世界中由於虛僞、遮掩、含蓄與糾纏而呈現的複雜性沒有了。這些驚人的坦白是對身在古典世界中的我們「挑戰」，它可以激起我們對習以爲常，甚而糟蹋濫用的古典情感的鄉愁，它也可以使我們羞慚地面對未來的這種赤裸與坦白。

讓我現在零星地舉一些《**廢墟**》中李信夫的日記片斷來說明這種挑戰：

> ……人的存在只有兩種方式，一是像一頭快樂的豬，他生下來就低頭吃，一歲後被殺……我不相信〔這種選擇〕是愚笨的……我常想起芥川龍之介「這樣描寫人」：「那是一個不知極樂，也不知地獄的窩囊女人。」**（前衛版，頁二十二）**

……我和本地的一位三流作家叫「小宋」的人生長在同一村莊……那時島上的經濟蓬勃，一流的青年都做實業，肯在文字下工夫的人，不是黨工就是白癡或聖人……（頁二十五）

潘娜娜在前八集中挑剔我們工作人員對「性」的無知，並且一再要求燈光、導演、攝影注意他和歌舞女郎的動作，大罵我們是一羣木頭，一次又一次叫著說：「注意私處，注意我們的私處。」實際上，我們很認眞，但在播放試片時遭到他大叫大嚷的指責。（頁四十三）

李可然表示小惠應該和她回去，我立刻否認他的無聊，我說：「除了超越自由黨，沒有誰可以叫誰『應該』如何。」……李可然說我不該搶走小惠，她的離開使他沒「面子」。我否認人有什麼「面子」……他簡單地告訴我……在小惠離開之前他想要回一點「代價」……他很快地蹲身下去把刀子刺向我的腿部，我揚起另一隻腿踢中他的頭部……（頁八十七）

《**廢墟**》一書中並沒有刻意地將所有一切的腐敗歸諸於「執政黨」的罪惡，這也不是它主要的關心所在。它所呈現、注意的是一種未來的「徵候羣」，是罩在一種特殊精神狀態下的未來廢墟世界。那個世界中的人坦白地用各式各樣的方式來處理自己的生命（如妥協、忘掉一切「忘世的痛快！」、反抗、逃渡、屠殺或自殺）。那種特殊、相反於古典世界的精神狀態就好似一種沒有耳朵的河童的世界。河童的世界嘲笑人的世界，人的世界則也完全反過來嘲笑河童的世界。在精神病院中，究竟鐵窗裡還是外的人是瘋子呢？❷《**廢墟**》一書是對讀者提出這樣的挑戰：古典世界眞的比不知天堂地獄的窩囊女人的未來世界更有意義嗎？在複雜、虛僞、糾纏的古典世界中，我們眞的相信、或努力去爭取一些生的意義嗎？僞君子們是無法面對坦白而赤裸的廢墟世界的。以「吃飯、喝酒、性交」而立教的河童生活也正是這種諷刺性挑戰的象徵。

我們再進一步地舉一些片斷來說明這種從廢墟來的挑戰與鄉愁。

在幽谷教徒「大規模入山」而遭軍隊大量屠殺之後，李信夫有這樣的「隨感」：

> 有一種「俄羅斯輪盤」的賭命行爲被強調過，人們用腦袋來下賭注，那時的人，不論如何，對「生命」似乎有一種過分重視的感覺。他們小心翼翼地護衛著生命。甚至在

前世紀中期，有一位「人道」的醫生提出「尊重生命」的口號，所有的世界性獎牌都掛在他身上，想來也眞是奇怪。

這是未來世界中比較古典的信夫對臺灣歷史中的一點感想與質疑。我們也許會覺得他這種想法好笑，對不對？我們不是最高等的生物嗎？「河童」中河童哲學家麥戈「傻瓜的話」中有一段文字是這樣的：「最聰明的生活，是一方面輕蔑一個時代的習慣，而一方面又一點不破壞那種習慣的生活。我們最想自詡的，唯有我們所沒有的東西。」

> 現在的電影是純粹的色情了，當然恐怖片也獲上演，但無疑的轉動在色情的軸心上，太空戰爭片禁絕，因爲它會引起廢墟恐怖，文藝片滅絕——通常悲劇會使人引發自殺，喜劇則成無聊，我曾翻查過所有的電影目錄，發現古典社會的電影是一種很不實際的電影。古典社會的電影導演彷彿都是幻想家……**(頁一五二)**

不錯，古典社會中常常有許多糾纏不清的夢想與幻想。那兒也有許多「人道的尊嚴」與「生命的崇高」的話。當小惠莫名其妙地死後，信夫也回憶寫道：「她的搖椅和沉思，以及懷著我的孩子……她說過她要逃離島嶼，進入古叢林，和她終生奉行不渝的崇高與美麗。」在廢墟世界中，小惠的言行常會令讀者感到「雅不可耐」，不過，這也正是有趣之處。這是一種對古典的夢想嘲弄到極端之後所蒸餾出的一種強烈的鄉愁。古典世界單純而美麗的夢想，通常會被「成熟而複雜的社會人」或是虛僞者很不耐煩地推開。惟有等到把不耐煩推到極端、惟有透過未來廢墟世界的徹底與赤裸、它其中的死亡與虛無，古典的夢想才會再次浮現。

前面引過的是廢墟中的電影文化型態，但是未來娛樂中最驚人、引人注目的則是像「粉腿大樓」這種型態。粉腿大樓共有十層，以性和喧鬧的相關爲主題，「凡是引起性感的東西就是藝術，並且借喧鬧和呼喊把它表現出來……人們由第一層樓開始，藉著藥物、刺激品、女人一直往上娛樂到最高層，而達到生命刺激的最高潮。」這種娛樂的基本構想很有意思。它有天堂、地獄等多層與多種程度的啓示文學的味道。在東洋、中國、西方的許多古文學或怪談、異志中常常會用這種「層樓式」的文學型態來說明某些主題。通常這種型態會表示出一種階段、程度、過程的味道來。在《廢墟》一書中，層樓式的文學型態以「粉腿大樓」的外型出現，非常精采。在大樓中，一樓是男女的暴露歌舞，二樓則是地獄的魔鬼劇場，三樓是酒廳，「無數桌的酒席摯滿一組一組的人，每個人都對著巨大的空間呼喊著猜拳，好像要把他們一生的力量都喊出來。」這邊頗有一些未來加上超寫實的魔幻味道。然後推下去：

> 我們開始在五、六樓接受按摩，在七樓和女人瞎纏，在八樓吃藥作樂，把力量用光。但在九、十樓，我特別敍述這兒的美妙經驗，他使我們眞正獲得解脫，完全瘋狂地宣洩了我們的苦悶。（頁一五七）

讀者猜得出來九、十樓是什麼「美妙」的經驗嗎？以性和喧鬧爲主的粉腿大樓的九、十樓是什麼？

它們是「古典」音樂與繪畫的表現場！可是，爲什麼以表演古典藝術當作「生命刺激的最高潮」呢？我們不必爲末日啓示強作解釋，這也許是虛無對古典最高、最痛快的嘲笑，也許只是一個夢[3]。讓我簡短地引一段這「粉腿怪談」：

> 主持人在開始演奏之前先致歡迎詞，並說明演奏的名稱，他並聲稱如果演奏不滿意可以抗議，在我們座位旁邊有一些雞蛋和果物，我們可以擲果以示抗議。幕一拉開，我們見到演奏者都坐在那兒，但人們已開始向他們投擲果物和雞蛋。在演奏柴可夫斯基的樂曲時，一顆橘子打中了一位小提琴手的鼻子，把他打翻過去，他摸索地去拿他的小提

琴，把椅子扶正，又拉起來，但發現弦斷了。我們和所有的醉漢都哈哈地大笑起來……在矇矓中，我們忘了做了哪些事，我們把身邊的果物和雞蛋都擲光了，音樂會以一首「悲愴」做結束。我們大笑地和衆人湧向十層樓的繪畫欣賞廳……**（頁一五八—九）**

類似像「粉腿大樓」這樣的娛樂、像幽谷教徒的被屠殺與審判、或像在「六幢巨厦區」中對反對派知識份子的殲滅等等的情節，都是一些率直、坦白而徹底的惡夢。有時似很眞實，有時又捉摸不定，一閃一逝地出現在李信夫（**《廢墟》**一書的主角，最後以自殺結束他那「懦弱和無意義的人生」）遺留下來的秘密日記中。

《廢墟》一書中黑色幽默的高峰，似乎展現在一些比較「哲學」的討論上，筆者每次讀到這一段都不禁大笑。宋澤萊用信夫的日記，表面上毫不經意地徐徐道來：

人是什麼？……這個問題，曾是舊社會的問題。古典社會（看來多麼地不能理喻）他們一直在研究「人」，而提出各式各樣的「人」的理論……愛因斯坦、佛洛伊德、杜斯妥也夫斯基、卡爾・馬克斯……他們都是談人的行爲和宇宙眞貌的專家。差不多他們都很敝帚自珍，並且大膽夾纏。在現在的新社會看來，他們多麼無稽。「人不是什麼！」這是新社會有力的論斷，擊垮了一切迷霧，它是半世紀台灣發展出來的智慧哲學。……一九八五年來，世界的文明指出台灣是文化沙漠、「思想眞空」，島內缺乏自信的學者起而響應，剛開始使人們羞愧得無以復加，但在一九九〇年……一個黨的哲學家提出了「爲什麼要討論人？」的這個懷疑，立即獲得有力的對他種文明社會人理論的反擊。島上自行重估自己的精神深度，在一九九五年，台灣的一位辯證家謝大士寫了一本《人不是什麼》，成功地否認了世界諸學者對人的解釋……**（頁一九九）**

> 「人不是什麼！」使人輕鬆自在，不思不想……台灣的人民證明〔謝大士的理論〕，成功地擺脫一切迷霧，有一首古典社會的流行歌曲「不知我是誰」在各地再度盛行、到處都有人演唱。**（頁二〇〇）**

我們可以震驚地感到未來世界的這種坦白、率直與徹底❹。相反地，古典社會中的虛偽、「複雜性」、欲迎還遮的種種謊言反而令人感到不耐。另一方面，這種河童世界式的寓言也出奇地令我們對古典世界中「敝帚自珍、大膽夾纏」的「人的哲學」產生深切的鄉愁感。不錯，芥川在「河童」中說：「河童對我們人類認爲是正經的事當作笑料，同時對我們人類視爲可笑的事卻一本正經地去做。」這正是一種深刻的挑戰。從《廢墟》一書中，表面上的挑戰有時可看成是：未來世界的「倒行逆施」也許是對的？但是深一層的挑戰則是：如果古典社會中的虛偽與基於權勢的無恥謊言竟是合理合法，那麼未來世界中的坦白與赤裸反而可愛！這就像希臘史詩中的倫理世界一樣，善良、正義、邪惡、勇敢、懦弱、窩囊等性格都是光明地呈現與承認的。

在未來的廢墟世界中，大部份的人都是坦白而率直的，他們有的接受一切現實、承認懦弱、樂得「輕鬆自在、不思不想」，有的勇於戰鬥、接受死亡。他們黑社會中的新武幫也有他們「新蜉蝣論❺」，他們由反對而毀滅的過程中建立他們生命的意義與個人的碑文：「一隻蜉蝣只是一隻蜉蝣，但它若被單獨提出來，就不是蜉蝣」。不過，這其中也有少數例外。其中一部份，他們統稱「知識份子」，別號「三頭怪物」或「麻醉豬」。《廢墟》中有一段描寫他們與執政黨溝通的過程，很有趣。知識份子在發表意見時常是「頭垂向地面，十分艱困地思索著說……」，或是「支吾其辭，大談觀點和不必然……」，或是「兩眼空茫，望向前方，提出特權問題……」等等。我們再看看《廢墟》中兩段對知識份子的一般性描述：

到一九九〇，百分之九十八的知識份子都學會了一套妥協的技術，他們半抱琵琶半遮面，一面做小批評卻一面示好……形成一個固定的階級，幾乎每個人同時目睹新社會的弊病，又目睹超越自由黨的恐怖，又目睹自己的利益，變成一頭三足怪物，躊躇不前……（頁一二六）

他們談論的主題是「如何才是理想的生活？」「我們還能做什麼？」據古典時代的專家的意見，都認爲他們是時代的代言人，但我們的新社會已經全面理解，他們全是夸夸之言者，只是逞口舌的東西……當有人譏諷他們無用時，他們就說別人是反智論……「如何才是理想的生活？」……這是老問題了，實在會令人反胃和大笑的題目。（頁一二八）

《廢墟》中處理知識份子的方式固然有趣，但比較沒有「河童世界」那種「倒行逆施」的味道（芥川的河童世界中的超人知識份子也頗類似於人的世界中的對應物），這個奇怪的特性值得討論。李信夫是個內在善良、但懦弱而妥協的高級黨員，他可以聽小惠在私下「激烈地罵著超越自由黨」，看小惠私下收集來的想偷渡逃離臺灣的剪報，但在行動上幾乎完全符合黨的要求。他眞正挺身而出的是與小惠的前夫打兩場架（其中一場是挾著黨的現代武器而上場的）與干涉他朋友辛克勤虐待辛的兒子小偉（他不干涉辛克勤常打他太太，因這倒是他的

「私事」)。這樣的一個人,罵起知識份子,倒是振振有辭。難道知識份子不能和未來社會上大多數人一樣採取妥協策略嗎?知識份子無論在古典社會或未來社會,似乎都不是時代的代言人。知識份子中少數是夢想家,少數是野心家,但大多數和社會其他人似乎沒什麼不同,只不過謀生工具各有不同罷了。知識份子「爲民喉舌」或「代言人」的形象只是遠古遠古時代的產物。在那時地主士大夫自認爲有管道,可爲不識丁的百姓,逼急了,還不是照反不誤,知識份子又有何用?在廢墟世界中,舉棕櫚葉的幽谷教徒們不也是自己決定自己的命運嗎?

《**廢墟**》一書中,除了在一些地方中描寫公害情形、馬赫伯理論等嫌冗長之外,一般描述與對話的文字都十分有趣而耐人尋味。如性娛樂聯鎖店用的標語:「何不做四脚動物?」,又如信夫問小惠:「超越自由黨是否該擁有你這麼漂亮的女教師呢?」她說那是超越自由黨「三生有幸」。還有如當信夫等人要到藍天咖啡廳去,信夫寫道:「藍天,多麼有意思的咖啡廳名字。」在憲政大廳和知識份子溝通時,信夫描繪大廳中「牆邊像森林一樣地插滿『不』字的黑色旗」,這使我們想起一句詩「請舉起森林般的手,制止!」。在描寫信夫初次見到小惠時,感到她像「瓷做的娃娃」,不過小惠日後告訴他:「這種女孩就叫『佳人』」。小惠的言行無疑是《**廢墟**》一書中最有趣的一部份,筆者無法在這裡細加評述。不過大體而言,小惠的言行在全書中有個明顯的變遷過程,用古典社會的標準來講,是從「雅不可耐」到「俗得可愛」。但是放在未來的廢墟社會中來看，正是「發思古之幽情」，這也是《廢墟》一書以「未來」喚起古典鄉愁的成功處。

綜而言之，《廢墟臺灣》的出現似乎代表了有意義、具有現實及超現實色彩的未來小說在臺灣生根。它代表著小說創作的一種新類型、新方向，具有巨大的發展潛力。它出版在蘇聯車諾比爾電廠爆炸之前，更增強了《廢墟》末日啓示錄的一面。在另一方面，臺灣坊間雖然已有不少局促在高度抽象、「複雜與永恒的人性」、怪光陸離式的「科幻小說」，電視裡雖然充斥著「宇宙戰艦」、「聖戰士」式的「科幻卡通」（我們的下一代目前正活在這類型的科幻卡通世界之中），但是未來世界與我們今天的世界有何關聯與意義？則似乎仍然停留在一極端不清楚，甚至是膚淺的層次上。可喜的是，我們有了像《廢墟》這樣展示出旺盛創造力（雖然在細節「藝術」上尙待琢磨）的小說。當我們讀到李信夫寫的日記：「圓圓的月亮在鄉間浮上來，入冬的月亮培養我巨大的恨憾……」或寫到：「『如果我們要在新社會腐化掉，那麼我們不如就埋在這個雪景。』我懷著痛苦的喜悅，眞誠的說。」，那種感人的力量倒眞不是一般寫實小說易於企及的。不可否認，《廢墟》一書在結構、文體、構想上都受芥川「河童」一文影響不小，另外也有些「一九八四」的痕跡，但是它究竟是臺灣的未來小說，讀起來更爲可信、親切。

——一九八六年春天，於生澀的新竹單身宿舍

❶請參考《當代》雜誌，第一期，龍應臺評「廢墟臺灣」，頁一四八～一五〇。

❷「廢墟」一書中引用「河童」中的文字似乎來自金溟若譯的《羅生門・河童》，新潮文庫第二十六部。可惜金的河童譯本不怎麼高明。

❸在「河童」中的第七節的描述（見金譯本頁八一～八三）與粉腿大樓九、十樓的經驗有點類似，不過河童譯本中的描述很晦澀，不若粉腿大樓的整體感受來得震驚。

❹比較起來，歐威爾的《一九八四》的三條標語「戰爭就是和平」、「自由就是奴役」、「無知就是力量」顯得乾燥無味。

❺廢墟世界中的黑社會武士頗像許多未來電影中的武士，他們坦白、赤裸、殘忍、不斷地尋求挑戰、勇敢戰死，除此之外別無其他意義。

〈編按：本文已獲傅大爲先生同意，轉載自《知識與權力的空間》桂冠圖書公司出版〉

引言

世界都會的崛起對代表文化的一切傳統，無論其爲貴族、其爲教堂、爲特權、爲朝代、或爲藝術的習俗、爲科學的知識，皆具有不可理喻的敵意。在世界都會中，敏銳而冷酷的理智，淆亂了從前原始的智慧。它對於「性」與社會，所採取的新式的自然主義，使我們退化到原始的本能與原始的狀況之中。所有這一切，都有助於文化的閉幕，而開啓一個新的人類生存的狀態，——一個反地域的、蒼涼而無前途的生存狀態。

——引自史賓格勒《西方的沒落》

這是一種悲劇情狀——恰是哈姆雷特悲劇主題之倒轉——而它的螺絲，已旋入了整個社會的結構之中，包括政治、經濟與倫理，這使得它無視於它自己的終極意蘊中，所代表的文化絕滅的嚴重性，而仍保持幻覺，以爲它自己的存在，是一種歷史的必然。

——引自史賓格勒《西方的沒落》

河童對於我們人類認爲正經的事當作笑料，同時對於我們人類視爲可笑的事却一本正經地去做——就是這種倒行逆施的習慣。

——引自芥川龍之介〈河童〉

要之，音樂無論是多麼敗壞風俗的曲調，沒有耳朵的河童是不會懂的。

——引自芥川龍之介〈河童〉

河童的宗教，其中勢力最大的，當首推近代教吧。也叫做生活教的。（「生活教」這個譯語也許不恰當。原文是Quemooch。cha，相當於英語的ism之義。quemoo的原語形爲quemal，與其譯作「生活」，毋寧是「吃飯、喝酒、性交」等意義。）

——引自芥川龍之介〈河童〉

我變成一齣荒誕的歌劇：我看見所有生物都有命中注定的幸福：行動並非生活，而是揮霍體力的一種方式，一種萎靡。道德是腦力的衰弱。

我的健康遭受威脅。恐怖降臨。我沉入一連數天的睡眠，醒來後，繼續做最憂鬱的夢。我駕輕就熟應付死亡，沿著危險路途，我的衰弱引領我走向世界邊緣，那是陰暗與旋風的國度。

——引自藍波《文字的鍊金術》

0.

公元二〇一五年三月，台灣西海岸的潮水似乎因著連綿的雨水而豐沛起來，嘩嘩的大雨像要洗刷掉一切歷史所犯下的汚穢，猛烈地冲瀉在大地。雨點打擊著裸露的山脈、打擊著岩石、草木、路面，特別是溪谷的水傾瀉出來了，它們在深山的溪澗奔跑著，滙成大河，越過高地，切割地脈，環繞著各平原的雨林，然後奔入大海，好像要把海整個兒舉起。

三月七日，雨停了，陽光燦爛，阿爾伯特先生和波爾先生把小艇慢慢地停靠在濁水溪支流的河口。粼粼的河口被上游帶來的泥土染成黃色，漫漫地擴散到河口的兩岸，看起來像一條巨大的黃彩帶，彩帶之外，海水像一泓藍墨池，飽滿地跳動著，海天一色。滿頭銀髮的阿爾伯特向他的同伴波爾打招呼。於是他們在小艇上站起來，大喊：「喲呵！Formosa！」但只一瞬間，他們交換戒懼的眼色，穿上防彈衣、持著槍、背起背包，宛如面臨大敵，一步一步地走向沙灘。

阿爾伯特先生是政治學學人，已經有六十歲那麼老，但顯然老當益壯，他的白髮始終蒼勁飛揚，握槍猶如獵人，使人相信他只有五十歲，波爾則是旅行的地理學者，他的身材略矮，

但手掌和脚掌都很大，臉龐的皺紋糾結如地脈，他的年齡一定在阿爾伯特之上。在公元二〇〇一年時，阿爾伯特先生曾到過這個島，那是因爲當時他正熱衷人類的政治行爲研究。阿爾伯特是典型的科學家，當時，他相信人類社會只不過是一個動物園罷了，既不必高估也不用渺視，人類恰巧只是一群會思考和說話的狒狒而已。他不是膚淺的行爲主義者。在早期，有個心理學家史肯納博士寫了一本《自由尊嚴以外》，引起學界的震驚，史肯納顯然也把人當成狒狒之流的動物，但阿爾伯特以爲史肯納空談無稽，他不管自由不自由，他要的是事實。也就是說，史肯納博士在實驗室指破人們對自由尊嚴的妄想，提醒人類應該及早建立一個沒有自由和尊嚴的安樂窩，那麼畢竟這只是烏托邦。阿爾伯特却坦白地認爲人本來就沒有所謂自由尊嚴，簡單說，自由尊嚴只是個名詞。問題是，政治學者應該實際在現存的國度中找一個典型，加以研究，證明沒有自由尊嚴的社會使人更快樂，那麼行爲科學家就拆穿了唯心者的謊言，而眞正地可以把人類都納入「控制」、「制約」的新世界裡。於是他跑遍了經濟高度開發和低度開發的國度，最後到了這個島。二〇〇一年的台灣政權是由一個叫**「超越自由黨」**的黨所控制。它是前數個政權解散再改組合併所成，相當成功。它的黨徽是「不」記號。沒有人知道爲什麼是那樣的黨徽，有人猜測說：①它實際是「不」字的意義，因爲這個黨徹底戒嚴，超過二〇〇一年以前的任何政黨。不可集會、不可講演、不可隨便信教、不可試探官僚、不可……那麼就意指「禁止」的意思。②它實際是「示」字少一橫的意思，「示」在中文就是「神」，那麼就可能在暗示人民，超越自由黨就是神。③它實際也可能是象徵著一個槍架或刑具，任何人違規都會受到懲罰，那麼就有「威嚇」的意思。④它也可能是一隻手爪或一隻章魚，那麼就指超越自由黨具有好的手段和圓滑的統治功夫。但上面的猜測是不必然的，一些半官方的人常說這個字是表示「穩定感」的意思，三隻脚牢牢立在大地，頭則頂著天。總之，眞正的意含根本莫衷一是。中年的阿爾伯特當然不信這些道聽塗說，他研究人們對「不」黨的直接意見。眞奇怪，他看到儘管「超越自由黨」每天都捉人、烤打、恐嚇、審訊、槍斃，這裡的人却沒有反應，好像不能感知什麼叫「痛苦」。中年的阿爾伯特做問卷調查，要他們在「滿意」與「不滿意」的二欄裡任一打「V」，以回答阿爾伯特所提的一百項「超越自由黨」的政治措施，幾乎八〇%的人在「滿意」欄上打「V」，比如說：「警察在每個路哨構築機槍陣地，你認爲□滿意，□不滿意。」人人幾乎都勾滿意。阿爾伯特認爲這是奇蹟，在別的地方，諸如菲律賓、韓國、利比亞、薩爾瓦多、南非……他也做過類似調查，發現不滿意總比滿意多。他立刻排除多項變因，非常驚奇地發現這地方正是史肯納所說的「自由尊嚴以外」的地方。他跑回歐洲去找史肯納，但史肯納已駕鶴西歸。阿爾伯特立即著手研究「壓迫彈性疲乏」的理論，強調說：眞正的自由這東西是在彈性限度之外才存在的。好比一條彈簧，你拉它，它就抗拒，因爲彈簧認爲沒有人拉它時叫『自由』，有人拉它叫『不自由』，現在你越拉它，它越抗拒，但一旦你更用力地拉，把它扯離『界閾』之外，於是彈簧就失去彈性而懶得再回到彈性，但這時它才發現眞正的自由在這裡，事事滿意。二十世紀中期的哲學家沙特曾用自己的親身經驗說：「我們從沒有比在希特勒的佔領期間更自由過。」阿爾伯特詳細以這個島做證據，出版了《政治新虎克定律》這本書，震動了歐美學界，大半的所謂的「自由主義」分子斥責他的「謬論」，但全世界的新政治的國家（大部分是第三世界）却大量印製這本書，人人把這個島看成是夢中的新天堂。阿爾伯特在二〇〇二年離開這個島。因爲他感到這個島使它的身體蒙受重大創傷，他一直咳嗽，那時島上已經凝聚了巨大的塵霧，天空濃煙瀰漫，工業生產和百姓日用的垃圾成堆放在各條大路，河流的水泛起血一樣的顏色，油汚包圍海岸，而且增生出奇地快，好像塵煙會生出塵煙、垃圾生出垃圾、油汚生出油汚。有一天，下了一點雨，他在房間醒來，發現忘記將一對金絲雀拿進室內，他去樹下看鳥籠，發現那二隻金絲雀因淋了一點雨而渾身顫抖，他立卽送鳥到醫院，結果被認定沾了毒素，立刻猝死。阿爾伯特不得已才離開台灣，但他很懷念這裡的人們，他們溫馴、有人情味，人們總是圍在電視機前，容貌泛出滿意，微笑地傾聽政府的訓令：你不可做壞事、不可謅動、不可動怒、不可……二〇〇五年，島嶼失去了和世界的連繫，因爲島嶼拒絕和任何國家做公開的來往。

不准旅客進入，不准非商業的來往，島嶼的人也不准外出，消息一時斷絕。同時各國的人相繼遷出島嶼，它忽然地在國際中消失了。但據說那幾年是島上生產最旺盛的時期，年年的經濟都大幅成長。二〇一〇年有一個消息傳來，說那個島在一夕之間毀滅了。幾千萬人很快地滅絕。國際宣佈它爲禁區，船隻必須遠離該島行走。它好像沉到海裡又浮上來，却變成神秘而恐怖。

因此，他們這次是爲探險而來。

阿爾伯特和波爾要尋找濁水溪邊的一個「TNN」村。波爾曾問阿爾伯特爲什麼不直接到大都會的地方去探險，却想找尋偏僻的「TNN」村，阿爾伯特告訴他一個舊事。那是差不多在一九八一年底左右，他在美利堅遇到一位來自台灣的小作家，那個小作家很怪，有一種永恒的不安和憂鬱。阿爾伯特當時只有三十出頭，正熱衷藝術。他立即和那位作家成爲知音。那個作家有一個「小宋」的小名，他自認神秘主義者，談昇天術。但阿爾伯特看出小宋的昇天術是狗屁倒灶的玩藝，他的寫實小說《TNN村》比昇天術好。阿爾伯特後來會到台灣就因爲這個關係。並且阿爾伯特在小宋的故鄉「TNN」村住了一陣子，學會若干的方言。阿爾伯特告訴波爾說：「也許小宋還活著，那麼他會告訴我們，最後的十年，台灣的處境是什麼？」

他們小心翼翼地走離河口，口袋上的蓋格計算器滴答聲大增，波爾大驚，他問阿爾伯特到底要不要前進。阿爾伯特立卽說中國有一句話叫：「不入虎穴，焉得虎子。」意思是說不冒險深入，怎能獲得眞相。他們找到了一條大柏油路，顯然荒廢了，被雨所侵蝕的路面暴露出一個個坑洞，兩邊雜草叢生。忽然他們發現在草叢有一個東西竄動。波爾立卽發槍，「碰」地一聲，槍聲把寂靜的空氣撕裂了。他們立刻跳進草叢，不久，他們用槍管挑出一頭脚上流血的動物，在充足的陽光下，他們看見這隻動物顯然是一隻貓，但奇怪的是，除了四足外又多出一足，差不多全身禿毛，尾巴退化成一個毛球。它並不是遭到子彈的重創而死，因爲子彈只穿過它的一隻脚，但却死了。「眞奇怪。」阿爾伯特說：「這隻奇怪的好像是變種的貓，生命竟然這麼脆弱。」波爾打算把這隻動物收藏起來，以供日後研究，但阿爾伯特警告他要注意這隻貓可能帶有放射性。他們想起「不入虎穴，焉得虎子」的諺語，不禁笑起來。

現在他們坐在一座高聳的溪橋上，時間已是午時二點，由這兒，可以看見河口平原的部分景緻，他們吃了便餐、拭汗，三月的溪水急烈地冲刷河床。阿爾伯特拿出小羅盤和一張地圖，他告訴波爾，在二〇〇一年，他也到過這座橋，如果由地圖和他的經驗判斷，「TNN」村就在二公里前面。於是他們離開大馬路，在小路前進。路曲折起來。阿爾伯特說他在二〇〇一年時看到這裡有高度的建設，農鄉的樓房羅列，但現在一片斷垣頽壁，草深三丈。他們撥開草叢，小心前行。

「啊哈。」忽然波爾的大手舉高，做出一個勝利表示，他在走出一個報廢的小市鎮後喊：

「看！那兒有炊煙。」

阿爾伯特反應快捷，他立即看出前面的村莊正是他住過的「TNN」村，因爲有一座寺廟高聳在空中，不規則地張牙舞爪，那是「TNN」村的神廟。而炊煙由那廟宇旁邊的一片頹垣升上來。

「還有人活著呀！」波爾說。

但興奮只是短暫，因爲「人活著」使他們立刻緊張。打從河口進來，他們並沒有發現活人，那麼現在是誰活著呢？

在下午三點十分左右，他們戒備地進入村莊。在村的東邊，他們發現一片廬墓，顯然是很多人埋在那兒，在村的路口有一個牌子高掛，寫著「歡迎遊賞」四個字，旁邊署名阿爾伯特知道的當時村長的名字，但已斑駁不堪。在廟口，他們終於遇到二個小孩，那二個小孩身體奇異地健壯，和二〇〇一年阿爾伯特看過的小孩稍稍有異，其中的一個小孩眼睟明亮、晶瑩發光，兩個小孩看見陌生人，站起來，露出疑惑的表情，那個眼睟明亮的小孩問阿爾伯特：

「你們要做什麼？」阿爾伯特立即用村莊的話告訴他，他們要找人。小孩立刻幫他們揹著背包，在廟的後面找到三個住戶。

看來這三個住戶是親戚。包括差不多有十個小孩，三戶的人家不到二十個人。他們的長者是一個體格健壯的八十歲老者，他已目盲了，他說他不想談話，罪惡是不該談的，但他表示，他有個有用的大孩子李信川會回答他們的問話。

他們在一個私營的水產場找到了李信川。這個人是在二〇〇一年就有名的水產專家，他正在餵一些奇怪的魚，打著赤膊、捲著褲管，他見到阿爾伯特立即認出他是十年前住過村莊的洋人，當阿爾伯特問「小宋」這人行踪的時候，李信川立刻打斷話，他說：「你認識的人都死了，小宋大概只剩一堆骨頭了。」他表示阿爾伯特認識小宋是一種錯誤，小宋的《TNN村》是淺薄之作，他說實際的台灣人不是小宋所描繪的，實際的台灣人應該只是「有罪」與「無罪」，有罪者逝去不足惜，唯有無罪者留下來，卽使小宋也是罪惡者。李信川把一桶飼料倒進池裡，他表示這些魚是他辛苦改良能適應核線汚染、劇毒、癌症的魚。他說全島只有幾家的人活著，而且只有和他們有血親關係的人活著，他們和這些魚一樣。阿爾伯特表示，他想理解他離開「TNN」村後十年的台灣情形。李信川說他樂意奉告，但他勸阿爾伯特和波爾趕快離開，因爲多待一天，後果就難以預料。他問阿爾伯特有沒有看見大的廬墓，阿爾伯特說有。李信川說每個地方都有一個，在最後那幾年，像死動物一樣，一天都要抛進幾十個死人到廬墓，如果待三天，廬墓會有一個地方讓給他們。阿爾伯特說他一定要找一找小宋住的地方，看他有沒有留下資料。李信川說小宋不值一提，他住的地方就是廬墓，如果阿爾伯特一定要收集資料，他可以介紹他的弟弟李信夫，他的弟弟才是文化界的名人，當然他死了——他本來是可以活下來的。他的弟弟也許保留一些舊日書籍，因為在生前他是收藏家。

阿爾伯特知道「李信夫」這個人，在二〇〇〇年，他的攝影理論很有名。但沒想到李信夫也是「TNN」村的人，顯然小宋忽略了這村莊眞正有智慧的家族。阿爾伯特說他很榮幸地有機會能接觸李信夫生前的物件。李信川說：「你們晚上就睡在他昔日的房間吧。」

夜幕低垂，他們在殘敗的村路散步，聽著李信川所講述的令人難以置信的最後幾年的故事，只能張大嘴巴、目瞪口呆。而後他們二人走進睡覺的房間。看來這房間佈置相當好，常常有人打掃，房間有許多銀製的東西，光亮潔淨。阿爾伯特驚奇地看見有一連串的照片被掛在牆上，全是涉及一個十分秀氣的年輕女人的照片。那些透過高明的攝影技術照下來的女人圖片靈氣逼人，彷彿生人。有一幀放在床頭，是兩人的照片。背景是一片山湖的印度櫻花林，一個外型美好的男子和那女人對坐在那兒，晚間的櫻花林煙雲瀰漫。

「如果不錯，那男子一定是李信夫。」阿爾伯特說：「看來浪漫極了。它是多麼地好。」

另外在旁邊有一幀小男孩的照片，大約八歲，胖嘟嘟的臉，有一雙深黝的接近墨藍的眼睛，但不能確定是不是李信夫生前的孩子。

他們隨手去翻舊書，這些書大半是自一九八〇年左右到二〇一〇年左右的書，有些是年代更爲久遠的，包括日、英文的書。

當他們翻遍這些書時，很難找出最後十年的確實記載，官方的資料顯示這十年的輝煌可以使台灣歷史垂之久遠，而個人的著作大半頌德。最後他們在一張書桌前坐下來，看見那兒擺著一本筆記，那筆記彷彿是經過顫抖的手揑寫而成，皺紋暴露。在筆記的封頁上標明：A. D. 2010，顯然是二〇一〇年的記事。當他們翻開第一頁時，却發現字跡清晰，有些地方甚至用符號標記。逝者一定是故意留下這些記錄，他們相信李信夫是好的文化人，但却不幸在這兒逝去。他們搖搖頭說：「眞難想像。」阿爾伯特決定無論如何要閱讀這本筆記，也許它能提供十年間事件的某些吉光片羽。於是他們開始閱讀這本筆記：

第一部

1.

2月　日

不知道爲什麼，我發現我要記這些雜記。而且我彷彿必須要告訴某些人一些關於即將發生的事。當然，也許這是和我珍惜自己可貴的生命經驗有關。我當然不是什麼重要的人——而只是個記者——或許就是因爲是記者，我自然懷帶著要把一切事都報導出來的職業情愫而寫下這本間斷的日記亦未可知。

然而，我最大的理由恐怕是我今天在電視上看到的情形。

我知道有些事正逐漸地發生。像一個菓實，當它還顯得新鮮的時候，我們很難判斷它什麼時候腐爛，並且我們可以找到很多的例子，說它還可以存在一個禮拜、二個禮拜或一個月。但當它顯露一個瘡口時，情況就完全不同了，我們馬上可以宣佈，明天或後天，它將趨於完全的崩潰，而沒有什麼人能挽救它。

我是在電視上看到這一幕：

數千個居民，蹣跚地走在北市府院的路上，而後停在市府大樓口有半個鐘頭，最後衝進市府裏，有的居民顯然衰弱已極，還沒衝開大門的時候就倒在地上。而後是持槍的「超越自由黨」人從市府裏出來，他們的黑色衣服非常耀目，他們喊了幾分鐘，而後開槍。居民四散奔逃，有的倒在馬路，一場無謂的鬧劇竟以悲劇收場。有的居民沒有中彈，但跌在地上，就死亡了。

電視報導說，居民都是嚴重的肺病患者，他們抗議執政者不力，使他們在不潔的環境中慢慢死去。電視也說這是「超越自由黨」執政以來，首次公開的「叛亂」。「超越自由黨」很快地處決他們。但我恐怕是警覺到，「超越自由黨」很難抵擋**「二度廢墟撲擊」**的來臨。我是一個宿命觀念者，我常常會看到一件小事而預感到大事的發生，並且在今天黨部的高級黨員會議裏，區黨部書記說有一個風潮逐漸在形成，有一羣由各階層結合起來的勢力正醞釀第二次的**「廢墟警訊」**，企圖蠱誘民衆，使超越自由黨崩潰。

何以歷史竟會發展成這種局面呢？

在我的記憶中，這個島始終是怪誕的島，我在一九八〇年出生，在七歲時，我寄居在北市的親戚家受小學教育，那時我在一所充滿煤煙味的小學唸書。我們的課本（尤其是自然課本）大半是綠色的，如果書上配有房子的插圖，就有一塊綠色的草地，我還記得一年級國語文老師在黑板上這樣寫著「詩」：

樹兒說來年的春天
它要爲我穿一件
水綠的衣服

字體很大，旁邊還有注音，但這是和現實背反的，那時我就很少看到綠色的東西，老實說我們要戴口罩上課。「安安，你怎麼把太陽給畫成黑色？」老師有時會罵我們，她的小棒棍在桌上敲得十分響亮。但是爲什麼？爲什麼太陽變成黑色，她竟沒有看到校園的地面因煤煙而整個被塗黑了。隨著時光的流逝，一年一年的，好像天空的浮塵越來越厚，我們不明白那些浮塵是那兒來的，有時太多了，讓視野都模糊起來，有人把北市比喻成霧都倫敦，但這是一個恰切的比喻嗎？往後在長大的生命過程中，我們又看見垃圾在馬路及各個地方漫延開來，到處都是紙張、塑膠帶、罐頭、電線、輪胎、鐵皮、玻璃、織物，河流也死滅了，同時核子射線的單位量激增，自殺率和肺癌達到空前，一九九二年，若干地區迅速地被宣佈爲**「廢墟村」**，禁止人們涉足。二〇〇〇年一次大規模的地震使三座核電廠核射外洩，二十萬人喪生，浮塵、垃圾、水汚等量增加，使人們的平均壽命縮短成五十歲。人們並不是不關心這種問題，但長久以來，關心問題常演變成政治鬥爭，終歸以悲劇結束，總是一陣的掙扎後，反對分子難逃下獄，最後終成無效。例如第一次的「廢墟警訊」早在一九九五年發出，但沒有人採行恰當措施。「廢墟撲擊」後，超越自由黨控制一切，沒有人再提改革一事。超越自由黨的**「新社會」**是一個極端「現實」的社會。也就是不談其他，只談當前現實生存的一刻，如果可能，我們眞的已經在「新社會」中建立了一種最新的生活方式了。我們活得很好，有吃有喝，「新社會」要求我們安祥、溫和、不許爭吵，我們只管注意放鬆自己，不要去注意不愉快的事。「吃你所要吃的，睡你所要睡的。」這句話是電視常見的格言。我們眞的好像進入安樂窩。超越自由黨的社會控制是歷史發展的一個總結，他們的處罰行動敏捷，對偏激的人一律判死刑或吃藥物，什麼事就解決了。人們也不認爲這是錯的，吵鬧只會使鷄緊張，並不會多生一個蛋，每當偏激分子被處決，人們就圍著電視看那種壯觀的場面——用大口徑的槍「碰」地一聲把人打到十公尺以外，人們很愉快。二〇〇〇年後，北部盆地的人們的臉都垂到地面來，肩膀也往下掉，衰弱不堪；中部的人臉龐大致向前方平視，但眼睛空洞；南部的人却有仰躺的姿態，盡量把臉仰高，好像魚想浮出水面，多吸一點空氣。我很抱歉地說，這是我個人非常主觀的看法，不論如何，現在的情況更嚴重，包括許多孕婦擠在醫院門口，要查清他的小孩是不是有兩個嘴巴或三條腿，而譬如說清明節見不到毛毛雨、中秋節見不到月亮，會引發情緒性的大規模自殺。但三種人中仍以北部最溫馴，但不幸的事却在北部發生。

我曾記得，在每年自殺率的統計中，北部的人總是最高，如今人人不認爲活著長命是一件好事。人若活太久就會得癌症，尤以肺癌最普遍。很多人願意只活到四、五十歲就用自殺結束生命，這是自殺死亡躍昇十大死亡症之首的原因。我想這沒有什麼奇怪。人的存在只有兩種方式，一是像一頭快樂的豬，牠生下來就低頭吃，一歲後被殺。二是當一隻雀鳥，要每天不疲倦的工作，忙得團團轉，在嚴冬時自然死亡。我不相信選擇第一種是愚笨的，我相信新社會是比較聰明的，只是生命比較被動而脆弱罷了。我常想起芥川龍之介在一篇〈六宮宮主〉裡所描寫的人，他說：「那是一個不知極樂，也不知地獄的窩囊女人。」（當然在新社會裏，除了特別研究外，人們不得讀芥川龍之介和波特萊爾的作品，那樣會被逮捕。因爲前者強調自殺，後者老是提到腐爛。）我確信芥川龍之介說的就是北部盆地的百姓。但爲什麼他們還反抗呢？我不明白其中的道理，也許是一種迴光反照吧。

但，無論如何，我以爲一定會發生重大的災難。這是我記日記最隱密的原因。

我被派到這個北回歸岬角已經三個月。

2月　日

2.

黃昏，下班，又在岬角四周散步。我單身，生活簡便，除了固定的上班，其餘的時間屬於我自己。這個岬角距島嶼的最南端約五十公里。看來這是熱帶珊瑚礁所形成的大岩塊，應該是在東亞島弧的造山運動時所升起的一塊平臺岩地，大約半公里長度。人們在岬角上建立一個大的社區，最中心是我服務的電視公司，電視公司面海的岬角下有一個浴場，左邊是水上樂園，右邊是**「鏡廳」**遊樂區，在水上樂園和「鏡廳」遊樂區外是兩個森林區，人們稱它爲左右海鷗森林，更遠的左方是一座核子發電場。一條濱海公路在岬角的脚下直穿而行，濱海公路邊是山脈。

我喜歡「鏡廳」遊樂區，今天一下班，我就決定穿著軟質膠鞋去走一趟。在這個遊樂區我建立許多友誼，包括這裏的許多商家和遊客，這兒的咖啡和飲食店林立，它主要是由一個九曲洞和一個高高的鏡片鑲嵌而成的錫蘭式臥佛所支撐起來的遊樂區。二〇〇〇年左右，一個地方默默無聞的藝術家用流線型的造形在這兒塑成一個佛像，一個基臺把它墊高有十公尺，在岬角上燦爛閃爍，人們驚奇地發現這是一座多麼美好的地區藝術。臥佛底下有一個「鏡廳」，也是同樣有許多鏡片雕塑。「鏡廳」的規模只類如一個臥室那麼小的房間，光亮的燈使室內晶瑩異常，室內常擦拭得一塵不染。我們很難想像有人會傻瓜地費盡一生去做這種事。他在一九九八年因肺癌而死。死後在這兒留一塊墓誌銘說：「我像酷愛鏡面一樣地痛恨浮塵。」這些鏡片雕刻有些鍍了色彩，具有西洋中古鑲嵌風味，立即引起各地人們的喜愛，而形成小的觀光區，超越自由黨的觀光局立即以紀念他爲名，把這藝術品納入北回歸岬角的管轄區。但他的墓誌銘被拔掉，原因是有「煽情」的作用。我常在「鏡廳」流連忘返而忘記浮塵人間。我樂於注意這兒明亮的空間，直到忘記人間生死疲勞。後來我依法在自己面對海洋的小房間鑲嵌壁面，頗費工夫，我多麼瞭解這位藝術家的苦心。我抵達那兒，又認識了幾個朋友，一個是遠道來的搞核工的年輕人，他在北部的核電廠服務，撰有一本專技的書，他只有三十一歲，聲名大盛，打算到歐美去旅行演說，但忽然他退休了，因爲他發現他的皮膚開始有乾燥的反應，他要確定一下他是否皮膚癌，而另一位街道工程的朋友不停咳嗽，我們在鏡廳見面，我詳細告訴他們有關北回歸岬角的歷史，他們很高興和我舉杯，他們說：「能在死前到這兒也聊以快慰了。」我向他們介紹這兒的商家、小販、小孩，他們很細心地聽著，他們認爲現在有必要認識更多的人，在日子來臨前，他們將是最「自由的人」，而後我們在臥佛前拍照留念，他們問我的工作，我說我是電視公司的攝影人員，他們很高興，而後分手。

在夕陽西下時，我回到宿舍，看到小惠寄來的一封信，我們相識已經三年。她是我回鄉時無意中認識的，情形是這樣：

我和本地的一位三流作家叫「小宋」的人生長在同一村莊，他大我有三十歲，在二十幾歲時他用了我們村莊的名字「TNN」村寫了一本小說，大大出了一陣鋒頭，歷史顯示，那時島上的經濟蓬勃，一流的青年都做實業，肯在文字下功夫的人不是黨工就是白痴或聖人，但他却成功了。小時我的兄長和他一起長大，我兄長說那人很笨，蒲柳早衰，沒有人說過他會活到三十歲，他也是漂泊者，在我二十歲後我們偶而通信，他的字末會很奇怪地抖顫，好像極端地神經末梢乏力而手不由自主地舞蹈起來，他在信末一定要寫一句：「看！信夫，我又活下來了。」我們重逢在一個鄉親的婚宴上。那時是夏日，陽光意外地燦爛，照破了籠罩在天空的霧（我再強調，那大半是一氧化碳和世紀之毒戴奧辛），盛妝的鄉下紳士都穿著白皮鞋和白西裝，來自城裏的人都別了大紅的花在紳領上。燈籠花沿路開放，好個大喜的日子。小宋向我打招呼，我起先記不起他，他的頭禿了一半，穿了一件顯然是冬天的西裝，皺紋滿面，他嚼檳榔，露出一口黑細的牙齒，笑藹藹的，我楞了一下，等我想到是他時，不禁大笑起來。他已是村裏父老的貴賓，人人都尊他為「有所貢獻者」。我感到一種「欺世盜名」的罪惡在滋長。後來我們輪流敬酒。意外的，有一個女孩子坐在小宋的旁邊，她長得好極了。削薄的身子配著一套蝴蝶結的軟質白衣，碎綠的點子，露出白膩修長的膀子，烏溜溜的長髮，略爲稚嫩的頸子托出了分明的五官，像瓷做的娃娃(她日後告訴我：這種女孩就叫『佳人』)，她好像是受騙一樣，拚命敬酒，一杯接一杯，顯然是有醉意，但還笑著敬酒，她的青蒼的鼻尖滲出汗珠，我後來瞧出她是受了小宋的欺騙，小宋一定告訴她遇到鄉下人越喝酒就表示對他們越殷勤。當小惠又敬我時，我搶下了她的酒杯，告訴她：「不要聽小宋的鬼話！」

我們很快就認識了，小惠是美術的愛好者，她唸藝術，在北部的文藝座談會上認識了小宋（長久以來，島上就流行開文藝座談，大半與官方有關，無聊的文化人都染上這個習癖，有時他們把座談弄得像喪事），和他跑了許多地方。小惠抱怨說小宋是一個奇怪的唯我主義者，他搞了三十多年的文學，唸道德經，還學法術，自以爲是神秘主義者，他自認「無我」，其實他好像有好幾個我。他有時在一個租來的斗室裏抽煙，一抽就是幾個鐘頭，全不管朋友的生死存亡。我告訴她：「現在的世界變化太快了。人人都一樣。」小惠說：「只有他不一樣。」我問她打算怎麼辦。小惠說：「我想停電！停電你懂嗎？」我終於會意，不禁笑起來。我說：「妳不會替他可憐吧？」小惠說：「少替他可憐，他有的是自憐。他的自憐可以溺斃十萬個天眞無邪的人。」

以後我們常跑各地的風景區，空氣愈來愈少，使得人們拚命往山裡跑，我們找山區的好森林，駕著遊艇在山區的小湖玩水，穿過一重重山巒，見到整片閃爍的白木林、咔咚咔咚的登山火車、顏采分明的古岩層、滿是蝴蝶的山谷。小惠的文學、藝術素養很好，她會在山區細細地描摹一幅花鳥，直到晨間太陽的光芒照破了旅舍的榻榻米房。我們都是古典文藝（超越自由黨把臺灣二〇〇〇年以後的社會稱為新社會，以外不論古今中外、過去未來都稱古典社會）的愛好者，她談繪畫、文學、音樂，談得高興時會告訴我，她想去蘇荷、巴黎、京都。每當她那樣說時，我們的話就停頓一會兒，因為我們知道那是不可能的。自從二〇〇五年超越自由黨實施全面戒嚴以後，出國成為難題，和各國的來往也斷絕了。但一會兒，小惠又高興地談起來，她喜歡落葉大道、古色古香的西班牙建築、巴洛克藝術、哥德式尖塔。小惠真的很漂亮，我意外地發現她閃現諸多不同的美感，不只外表的，內在也是一樣。我不知道是否愛上她，有時我會楞楞地看她，多麼修長的身子，多麼纖細的腰，總想：惡毒的世紀實在比不上小惠的一絲笑意啊。但我有一段長時間不敢碰她，就像不敢驚醒一場美好的夢，我只能和她維持一個距離，這和我的身世有關，怎能抵抗？

我們的家族是一個奇怪的家族。從遷居到島上居住的曾祖伊始，每一代的人活到四十歲就會喪失一部分的感官知覺，似乎這是一種基因的確定遺傳。家譜明顯地記載，好多人在四十歲生日那天喪失視力，因爲這是宿命，沒有人抱怨，何況喪失一部分知覺仍然照樣生活無虞，我的父親甚至在喪失視力後十年生下了我。我的家族認爲這是理所當然的事。祖先曾在族譜標明一種哲學，他們認爲臺灣是罪惡之地，必須用感官避開罪惡的侵襲，力行簡樸和清醒。家訓中就有這麼一條：宇宙無眞空，喪失什麼就會添補進什麼。

我遺憾地不能認命於這一個宿命。舉例說：如果我們爲了綿延良好的子孫，可以用運動來造就好的體魄。如果爲了增長智力，事實不必用感官喪失來交換。我懷疑這是家族的劣點，只是用理由合理化了它而已。過去我們的長輩也有許多背叛者，但最後他們都承認他們錯了，但我仍以爲這種家族一無可取。我遠離他們，選擇攝影謀生，我們的家強烈聲討我，他們認爲用感官討生活是一種墮落。但我不予理會。如今想起來，也許我是因反叛才選擇攝影，但攝影是我的特長是無可置疑的。可是目盲的恐懼並沒有消逝，誰能理解，它的威脅使我的人生產生多大的悲哀。當我在廳堂上把我的哀痛告訴母親時，母親流著眼淚安慰我說：「孩子，沒有人一生中不受任何的威脅。」

的確，經過一番的努力，我才取得這一些成就，如果這也算是成就的話。小時候我的視覺相當敏感，在陽光閃爍的草叢中，我可以感受到陽光照射在水珠上的反光，而分辨出露珠的多寡，在黃昏的室內，我則凝視光線照在竹編矮椅上的顫抖，有關光的顫動像一首音樂。

我還記得國小時，老師帶我們參觀一所進士的四合院時，在下馬後的水井邊發現一條蜈蚣，老師告訴我們說：「在生物學上，蜈蚣有二十二對足。」我立刻懷疑老師的話，我說：「那條蜈蚣只有十九對，並且左邊少了一隻脚。」大家都取笑我。老師爲了說服我，立刻逮住那隻蜈蚣，一算，却證明我對。老師愣住了，他問我：「爲什麼你知道？」我只能說：「我算出來的。」以後，我接受許多的測驗，大概都是視覺測驗，我甚至可以記得五天前一朵玫瑰的花瓣排列圖形的層次，並且在一大堆的紅色大理菊花瓣中依次分別每片花瓣的紅色級距，我的老師很詫異，他們拜訪我的父母，父親坦白告訴他：「我們家的小孩有這種能力。」如今想來也無奇特，這與一種儀器的使用一樣。換一句話說：常人的眼睛可以使用一百年，而我們在四十年把它用完,是一種「過度使用」的原則。我常在頭腦裏浮現很清晰的某種圖像，比如被火光照得鮮紅的小孩的雙頰，那紛紅的色澤沿著酒渦盪開，依次展開如詩。一隻螞蟻奮起它的前肢在泥牆邊推著食物。卽使事過十年，景像依然清晰如新。因爲如此，我在長大後發現攝影正是我想要的。攝影當然不如我的視覺那麼明晰，但只要加以改造，攝影會重現我的視覺。日後我做了相當多的攝影機改造，主要是重現萬物的眞實精細面。我不講求「意見」，但我求眞，我使用各種被淘汰的相機，試圖在各種狀況中，比如各種生活環境：醫院、礦區、海洋、河川，使用各種相機，我要求重現當時一刻的眞面目，如醜陋的就是醜陋，快活的就是快活，悲哀的當然也是悲哀。求眞當然就是排斥觀念的美學，十七歲，我用這個理論寫了一本反美學獨斷論的書，並發表攝影機的機械改造的書，許多的國家似乎也做了介譯，但三年後，我的理論完全破產，因爲現實實在太醜陋，我如何能讓自己的攝影對照著漫天浮塵和油污的大地而去反覆地告訴觀察者說：這就是美學。不！我如何能橫心拍攝一大群肺癌的百姓瀕死的掙扎，不！我不能。醜陋壓迫我又回溯到柏拉圖的理念上。柏拉圖在他的哲學上陳述人間的不完美，眞正的完美只存於頭腦的理念，比如說一隻貓，在現實只是理念的一部分型塑，我們將只能面對綠瞳子的貓而不能發現旣綠且紅瞳子的貓。並且我們可以任意描繪一隻理想貓直到忘掉一切不完美的貓。於是我寫了一本《理想攝影》，企圖找烏托邦，廣泛斥責醜怪的攝影。我的反動惹火了知識界，一九九九年，全島的藝術家圍剿我不能面對現實，但我已經對世界灰心，我知道不久之後，全世界都會像臺灣，再也找不到美，集體的人類會被逼到一個垂死的角落，像一顆蕃茄一樣地腐爛掉，我大量出版極富美感的攝影作品，企圖挽回一個世界，但我不後悔——時間已經沒有使人選擇的餘地。我努力創造一個讓絕望的人民可以逃避幾分鐘的藝術，一九七八年的諾貝爾文學獎作家以撒・辛格說：「藝術最了不起的功用，也無非是幫助我們暫時忘卻人類的災難而已。我今天還是爲爭取這個『暫時』而努力。」我的想法正是如此。

二〇〇〇年的「廢墟撲擊」使我的想法更加鞏固，要我去面對二十萬人死亡的慘狀而去拍攝它嗎？我正錐心於我小小的攝影機是否可以容納二十萬的亡靈。夸夸之言何益！超越自由黨的崛起發現我的理論可用，那種美化現實的理論正是它所要，於是他們迅速傳播我的美學理論。這非我的本意，我痛恨任何黨派、組織，個人的良心判斷是我一生奉行的準則，超越自由黨說服我，給我高級黨員證，並讓出電視的攝影專技的位置給我，並參與電視公司多種工作。在二〇〇一年，超越自由黨在『憲法』上增了一個條款，就是課以百姓每天有收看電視一小時的義務，電視機上有錄影裝置，可以錄進觀賞電視者的表情，人員定期檢查錄影記錄，以評價百姓的「忠誠度」。電視控制一切。而電視人員的身價相對重要。我很難拒絕超越自由黨的拉攏，但我認爲這一切都是多餘的，沒有人，包括超越自由黨可以逃過刼數。

身心和現實壓迫我成優柔的人，使我誤信我的悲劇將遺害小惠，直到有一天傍晚，我們在高山冬湖的印度櫻花樹下棲息，暮靄使得櫻樹籠罩一層淡淡的昏黃，她的笑聲如銀鈴，該死的我被它迷住了，我告訴小惠說：「我要帶她的笑聲直到天荒地老。」她不解地盯著我，問：「你怎麼能帶著我的笑聲。」我說：「妳閉著眼睛我才告訴妳。」當她閉眼時，我去吻她。她打我一巴掌，但抱住我，顫抖地把我放倒在櫻花樹下，撫摸我的鬍髭，而後打散她的髮，蓋住了我的臉，偷偷地咬著我的耳根說：「我也要把你帶走，讓我一生都不離開你一步。」

時光匆匆，二年以後，她學會現實，開始打量周遭的環境，當我勇敢地向她提婚事時，她搖搖頭說：「不行！我要嫁別人了！」她嚎啕大哭，因爲我顯然很窮，而四十歲就會目盲，她知道我沒有力量保護她一生。我却反過來安慰她說：「愛情和麵包是不會一樣的，妳離開我吧，我沒有恨。」而後小惠嫁給一個有錢人家的小開李可然，他什麼都有。而直到她嫁了，我才後悔，我發現錯了，我不能沒有她。而小惠在那兒顯然不好，我們一直通信，十個月後，她離開了那個家。小惠說眞實的處境令人改變人生觀，她說人們越來越難活到五十歲，如果人生只有四十歲可活，只要活得愉快就值得了。何況誰可以保證活到四十歲？她認爲人要儘快地把握住最好的事。現在我抄錄她的信如下：

攝影家：

我現在正在東部山道旅行和沈思。又見到蒼翠的山巒和那些古岩層。你很有哲學家的味道，這一點是我不能忘懷你的原因。但你能告訴我什麼才是人生眞正的目的嗎？以及什麼是恰切的生死嗎？我不能解決這問題。我應該想這個問題嗎？

但在我們都還沒死以前，我們的確應該再見一次面。

你還要不要見我一次呢？

我回信告訴她說：「要！」

二月　小惠

3.

3月　日

一大早，我起身，和隔壁的社區醫生辛大夫、新聞採訪者林山在海堤上跑起來。在海堤上我們可以望見整個高聳矗立的岬角。眞的，它是那麼好的一塊平臺，連綿半里，我們的高級公寓剛好在稜線上，而整個海洋，它在早晨總悸動著如母親一般的溫暖，我呼吸到整個鹹鹹的海草的味道。這個北回歸岬角的確是落塵較少的地方。兩道防波堤包圍了一個大港灣，當局經營這個港灣是爲了電視的拍攝節目而用，有時它也開放讓人們舉辦海上運動，我們很難想像超越自由黨要花費多少錢在這個港灣上。僅就清除港灣內的污穢和淨化水質就所費不貲，而清除污穢並不只是限於港灣之內，包括水上樂園、海鷗森林的附近都在範圍之內。海上的人員必須使用拖網和油污過濾器日以繼夜地工作，嚴重的污染——汞、垃圾、油污，使所有的類如北回歸岬角這種好的海岸都報廢了。我一面在海堤奔跑但仍不斷地看到水上沒法去除的油垢。這使我不禁想起小時候。在一九九〇年以前的海岸仍然略爲可觀。我十歲時，大哥（如今他已喪失皮膚的感覺）是有名的水產人員。他常帶我出入各地的漁會會議，我們常在海岸過著流徙的生活，在北部，那兒的海相當的深郁，波濤也較洶湧，通常它的天空也是陰鬱的；南部的海則是淡藍而溫和，海水會輕輕被推湧到沙灘上來，不論漲退潮，海水都在你身邊湧動；而東部的海，它開展一種壯濶和深度，不斷衝擊著丈高的岩石，轟然地發出巨響。在海邊小小的、搧動著息息海風的海產實驗所，哥哥會把一隻母蝦或一尾新種的鯉魚放在我的手掌，他說：「用你的觸覺去感知他們跳動的肢體吧。」我大哥是一個觸覺相當優秀的人。但我馬上被那魚類外殼的光所吸引，他們的光進入我的視域裏，有一種幾乎可以醉人的旋律。我常在沙灘撿拾一些被人丟棄的貝類，滿滿地裝了一口袋，我相信只要光輝晶瑩的東西，都是一種寶物。但一九九〇年後，海岸整個兒腐爛了。首先便是海岸的養殖事業崩潰，蛤蜊（我們以前隨時可以在海邊挖到）大量死亡，牡蠣滅絕。汞和其他的礦水沿著河川而下，把海岸的生物都消滅了。沿海的魚也避入較深的海域，養鰻、蝦、蟳的行業一蹶不振，而游泳的人開始發現他們易得皮膚病。海水浴場被迫關閉。我大哥離開了海邊，回到故鄉去做淡水魚的研究，他幽默地說：「有一天，人們會發現，我們必須用蒸餾水養魚。」從此，我也就少再見到海，但海的波動和飽滿常出現在我夢中。很高興我又到了北回歸岬角，它喚起我海的記憶，那麼恰當地給我美麗的情緒。

太陽漸漸昇高起來，濱海公路的車開始出現。辛大夫很認眞地跑著。他的名字叫辛克勤，在這兒至少已經二年，大我九歲，他也是高級黨員，很有名的醫生，他自願調到北回歸岬角來當衛生所主任，他說他痛恨無聊的大醫院日子，有一次他告訴我，現在的新社會就是大病院，大家都是病人，彼此相互荒唐地治療，心臟病患治療癌症病患，癌症病患治療精神病患，精神病患勸人不要自殺……我聽了不禁笑起來。在二〇〇〇年以前，他是一個波西米亞生活的分子，隨和而憂鬱，他很幽默，寬容大度，但常打太太，我不知道他爲什麼要那樣。我認爲他是「和諧觀」有問題，他一定以爲吵架對家庭的和諧是有必要的，當我把這種想法告訴他時，他認爲我是他的知音。林山做跑步跳躍運動，他是一位傑出的新聞採訪者，我偶而和他搭擋，成爲一對優秀的電視新聞採訪員，我們常常忙碌不堪，他是硬幹的那種類型的人，具有了不起的新聞眼。他大我二歲，三年前我們就合作無間。

我們在海堤的盡端歇息下來，抽著煙。在岬角的另一端，核能發電廠雄踞如一隻獸，不知爲什麼，我總會在心裡發出一種奇怪的感覺，彷佛覺得那是一座恐怖的廟，人們向它祈求一些邪孽的感應。

「幾點了？」辛克勤問。

「七點半。」我說。

「我想上班時間到了。」他說。

「我們跑回去吧。」我說。

「我們用『超越』的步伐跑回去。」林山說。

我們痛快地笑起來。

社區的人開始上班了，所有的人在薄薄的浮塵中邁動他們的腳步。在我的宿舍前，辛太太叫住我。她說：

「我剛替你在房間接了一通電話。你的電話太響了。」

「哦。」我說：「謝謝妳呀，辛太太。」

「有個人說今天下午三點鐘會來找你。」

「他留了名字嗎？」

「沒有，是個女的。她說她是你的顧客。喂，你也做生意嗎？」

「不知道。」我聳聳肩。

※

如果說，一個節目，導播並沒有權利，那麼拍攝時的狀況一定會淒慘不堪，而我們這些攝影人員一定也會跟著很慘。我的意思是說如果它不幸被一個跋扈的演員所控制——完全地控制，那麼一切都完了。

我按時上班，準備拍攝未完成的一個歌舞節目。十點以前耗在休息大廳裏和大夥兒瞎聊天，包括導播林清水，我的攝影助理張敬明以及燈光、佈景、道具工、場記……等等人員。這不是我的怠惰。事實上是那位跋扈的歌星潘娜娜（媽的，我必須用粗話，這人事實上是一個男士）還沒到達錄影場。我們已拍攝完他八個時段的專集，一部分已在頻道播出。他是超越自由黨指令的歌星，我們沒有辦法駕馭他。這原因是拍攝潘娜娜專集是政策的一部分。潘娜娜是旅居國外非常紅的影歌星。他在「性」的傳播和感染力上很有名，他於十年前成名當然有他的手段，問題在於十年後他仍然認爲他在國外的那一套可以在臺灣島上使用。

提起影藝事業的發展，恕我開門見山地說，半世紀以來島上的影藝和「性」息息相關。當然我不否認影藝除了「性」之外沒有其他。在一九八五年以前，無疑的，照影藝史資料看來，性是相當的保守。人們只擾嚷在露二露三點之間，欲蓋彌彰的做法總是偷偷摸摸。但在一九九三年後，島上的「性開放」居然超越了歐美。就片面看來，這與文化水準有關，具體說，所謂的「性」演出一定要有「美」來支持才好，如果保留了「美」，則「性」就不會淪入動物的層面，至少尚有一個遮掩和神秘的餘地不被攻佔。但島上的文化發展毋寧說是指向美的廢棄，半世紀的執政者事實不要什麼美的撈什子，只要子彈和槍炮。人們也跟著一齊走入沒有美的陰間。另一面可能是對「性」的無知所導致，的確，自一九八五年以來，我們沒有聽過「性教育」在島上廣泛推行，也沒有人研究集中管理色情的方法，往往一部外國的性電影進口，三天之內橫掃全島，也不管性虐待、性謀殺、性歧變，一樣照單全收，草莽的熱帶脾性立即突破一切限制，用「性」當成枯燥海島的唯一娛樂、用「性」來宣洩東方社會殘蠻的男權主義、用「性」來掩飾政治壓迫的重擔，用「性」來痲痺自由的思考。於是如同水奔出巨壑，衝垮了欄柵，一九九五年，性的交易席捲全島，到處的酒家、理髮廳、咖啡廳、旅遊業、攝影學會……充斥性的交易，部份的人士向當時的執政當局提出質疑，無效。加以人口的壓力必須學習節育，執政者的口號是臺灣學巴黎，把「性」與生育的神聖關係截斷，「性」就提昇成爲一種單純的行爲。於是全島進入「性」的大海裏，土法煉鋼的影藝使性暴露到達極點。花樣百出，變成一種可以「出口」的事業。人「性」和動物的「性」沒有分別。一個世界的旅行刊物說：「**臺灣是妓女島**。」實在是痛快的判語。當時的一個性娛樂的聯鎖店用一句標語：「何不做四脚動物？」橫掃全島，使人人進入動物的原始情緒中。一九九八年，一度爆發性疫病，性的行業稍稍沒落，但無損大體。它的唯一強敵是「廢墟警訊」，自殺率和肺癌使許多人認爲「性」的無聊。二〇〇〇年，廢墟的撲擊徹底打垮性生意，剛開始，人們可以藉性的刺激來逃避自殺和肺癌的陰影，但日益衰頹的生存意志終於使「性」的需要降低到零點。人們不再認爲「性」有什麼新奇。人們寧願趕快尋求如何結束生命，卻不想爲短暫的樂趣費心思。全島性藝術乃由「輸出」變成涅槃式的多餘。

二〇〇一年，超越自由黨立即對「性」做反省。自由黨的性專家提出一套新看法。他們企圖重新解釋「自殺率」和「性」的關係。一個大學的社會心理學教授和一位性學醫生在電視上說：「古典時代的性看法是『自殺使人對性乏味』，這種看法是沒有證據的，新社會認爲事實上是：『人們對性的缺乏渴望而使自殺率增高。』所以超越自由黨所要做的是恢復人們對性的渴求。」各地的性的出售店立即在超越自由黨的協助下成立，但成果不彰。雖然這樣，超越自由黨是絕不會罷手的，潘娜娜就被邀請回來，他的性的蠱誘在島外相當有名，被譽爲甘泉，意思是說如果一片沙漠，也會因著他的挑逗而流幾滴水。他已在前八集中挑剔我們工作人員對「性」的無知，並且一再要求燈光、導演、攝影注意他和歌舞女郎的動作，他大罵我們是一羣木頭，一次又一次叫著說：「注意私處、注意我們的私處。」實際上，我們很認眞，但在播放試片時遭到他大叫大嚷的指責。我們受不了，和他爭吵了幾十次。但他是超越自由黨的賓客，我們不敢轟他離開岬角攝影場。

今天出外景，在碼頭的一個水塘邊。

這是一個佈置相當特殊的水塘。在二〇〇〇年以前，事實上幾個執政黨都想把北回歸岬角經營成一個影城。但由於政治變動，沒有達成。但不論怎麼說，一個可資控制的巨大水塘早在一九九〇年左右就造成了。它可以用來攝製山洪爆發、水上危機……種種鏡頭。今天潘娜娜要唱的一首歌是聖經上的一段故事，實際上含有「出埃及記」的意思，當然摩西就暗指超越自由黨。我們按下一個開關，有一處木造的水塘底層下陷三公尺，露出一條道路，兩邊的水便好像分開了，一條海中大道就出現，差不多有一〇〇公尺長、三公尺寬。潘娜娜必須化裝成裸體的武士，拿著摩西的魔杖，由海的那端奔入海道中跑到這邊，而後在攝影機前舞蹈。他必須一面唱一面表演許多暗示著「繁延」的動作，並和歌舞女郎滾到旁邊的草叢做愛。他在前幾次就挑剔我們，沒有拍製好「暗示」的動作。他罵我們性無能。

十點鐘的陽光穿過了天空的浮塵照到水塘邊，漠漠的水粼粼閃動。我很愛這個水塘，雖然它根本上是一個由木板舖成的活動的巨大道具，但我總想起幼年時和大哥垂釣的情景。

導演喊「卡麥拉」之後，開關被啓動了，海被潘娜娜的魔杖指出一條大道。他們又唱又跳地奔過去，海水嘩嘩地形成二堵牆。他們跑上岸來了，開始劇烈地舞蹈，扭腰、擺臀、暗示，滾到野醬菓的草叢。他們喘著，用力地踩著地面，第一次的性暗示、第二次的性暗示、第三次。CUT！停！導演喊了一聲，於是我們停止，滿頭大汗，潘娜娜和那些娘兒們化裝的肢體淌了一層汗。

「你爲什麼不對著我腰以下的動作。」潘娜娜衝過來對我和導演大喊：「我很明顯地看到你們不對勁。你們一定又搞砸了，我不是來這兒玩的。」

「憑什麼這樣說。」導播站過去理論：「還沒試片怎麼曉得？」

「都一樣。」潘娜娜說：「你們到底知不知道『性』是什麼？喂，什麼是『性』。」他很無奈。

「少自大！」導播火冒三丈，他大叫。

「私處！私處！喂，注意我們的私處。」潘娜娜指著他和他的團員的每個人的私處說：

「私處！私處！」

「豬！」我們衝過去罵他。

※

下午五時，我們散伙，臨走時，我不甘心，警告潘娜娜，我要一拳把他打爛，然後整理了一下亂了的思緒回到宿舍。抬頭，才發現門口停了一輛小紅色車子，很秀氣的一輛，在我的記憶裏，社區沒有這種車子，當我走進小客廳（也是餐廳），才發現裏頭站了一個女孩子，赫然是小惠。

她使我吃驚極了。站在那兒的她幾乎沒有變，仍然是長長的髮，閃動著靈光的眼眸，白色的短袖軟質上衣，琉璃寶藍的孔雀羽印花長裙，她束了一條澄黃的腰飾，使得玲瓏的腰枝顫動而靈活起來，我忽然想到一個詩人寫過的詩句：「如果妳金黃的腰在我手中美妙地旋轉……」她叉腰地站著，完全一副無事的模樣。

「回來了，累不累，喝杯水吧。」她去餐桌上拿杯子。

「我自己來好了，不好意思勞動妳。」我趕快去接過她的杯子，有些喪氣，我的自尊多少有點挫傷，總想一年來，她也許會老些，最好是像我一樣地老態龍鍾，但她看起來卻沒有改變。

「我知道你住的這房子的一切。」她仍然堅持要爲我倒水，走進厨房，說：「攝影家，剛剛我注意到你的脚。我可以請教你嗎？如果一個人只有一雙鞋子，婚喪喜慶都只有一雙，有一天沾濕了水，他會怎樣呢？」

「你的茶來了。」

「哦。」我垂頭喪氣在餐桌邊坐下來。她剛說什麼呢？誰給她管我私生活的權利呢？

她把開水放在桌上。

「近來好嗎？」她問。

「還好呀！」我面對著她和留在籬邊搖曳的金線菊，一時間找不出應說的話。我的意思是說，她的來臨太快，不！也許只是我不能決定要叫她李夫人、林馨惠、或只單單叫她小惠。

我忽然站起來，說：「好，林馨惠，我準備和妳好好地談。妳能等一下嗎？我餓肚子是談不來的。」

於是我衝到厨房裏，誠意地煮菜，但也只能炒出一盤魚罐頭和荷包蛋。

「你在學甘地。」林馨惠說：「你在絕食。」

我不好意思地笑著。而後我們邊吃邊談，她談著她的丈夫李可然，談著十個月的她的家庭生活。「他事實並不愛我，或者說他的錢財並不需要我。」她說著，談話的語氣仍然保存著學究式的語氣。我能想像她的丈夫一定沒法適應她這種優越的好習性。她說這一年也跑了許多的地方，有時和她丈夫，但大半是她自己前往，包括我們已去和未去的山林。「但如何我只感到沒有目的地走著。」她說。

我提醒她，人是要遷就環境的，經不起環境考驗的人不是勇敢的人，人生是必須付出代價的……

「哦。」林馨惠說：「你不覺得你的話和你給我的信相牴觸嗎?」

「那麼妳打算怎樣。」我只好這樣說。

於是我們沉默了一陣子。

「我已離開了那個『家』。」她慣用那種明晰的決斷力說：「我已在高市內找到一個教書工作，校長是我從前的老師，我暫住市內，我要好好想想。」

「林馨惠。」我仍搖搖頭說：「妳不會叫學生逃學吧。」我的意思是說「逃避」是一種不一定對的做法。

「如果必要，我怎能不教他們呢？」

她站起來，於是我們走到岬角去散步。

岬角在黃昏的天空底下出現一種暗紅的色調。碼頭被逐漸淡黃去的霞光染成昏紅而慢慢褪成昏暗，海風把林馨惠的頭髮吹翻起來，我又注意她好像會把人捲走的長髮，她眞的是一個瓷娃娃，但我不敢多想。

「攝影家，一年來你都做些什麼？」她好學深思地問。

「很難說。」我說：「如果還有可說就是更簡單的生活，除了永遠穿一雙鞋外，就是漸漸老去，如果『簡單』就意味著老，我怕已有一千年那麼老了。」

「眞的，我倒要看看。」她斜著臉龐端詳我，說：「果然不差嘛，好像再輪迴過來一樣。」

我們在碼頭的盡端坐下來，聊起諸多的往事：閃動朝露的原野、荒野的一株檬菓樹、高山寂寂的叢林、赤足奔跳的沙灘……我記起一段往事，那時我常誇耀自己的攝影，但有一次卻使我完全否認攝影傳眞的可能，那是初夏的季節，我和林馨惠沿著東部的山崖邊旅行。在一個河口，溪流阻擋我們的路程，我們必須涉水過去。我把攝影器材放在河岸，抱著她到對岸，又走回來拿攝影器材，她立足在一片龜裂的古老海石上頭，在那兒站著如同瓷做的女孩被置在線條美好的圖案上，太陽忽然從她背後照耀過來，我忽然感到一陣耀眼，她的身影變得透明而玲瓏，如同融入陽光中，只餘下手環和飾件叮噹作響。我去拿攝影機，卻如何也也拍不到那種景象，我感到攝影的徒然……當我又提這件事時，她仔細地聽著，而後她脫掉高跟鞋，跳到碼頭邊的石棕上，她隔著一段距離，用著盈盈的目光注視了我良久，說：

「攝影家，你爲什麼不叫我小惠呢？」

「噢。」我沉思了一下（也許我也願意那樣地叫她，可是——）：「小惠，我問妳。早上是妳打來的電話嗎？妳爲什麼說妳是我的顧客呢？」

「哦，攝影家，我不敢有投靠你的想法。」

這次她跳過來，坐在我身邊。我們眺望著海，直到暮色將我們掩蓋。

4.

3月 日

您若驅車進入市內，假如碰到**「浮塵風暴週」**，那就是一個困境。首先您要打亮燈光，關閉車窗，自備氧氣。最重要的是每隔一段時間，您要打開駕駛座窗前的「浮塵掃拂器」，努力瞪視前方。這是半世紀台灣島努力發展它的文明的結果。在二十年前，如果要在人們的口中聽到「浮塵風暴」那一定會被譏爲神話。不！「浮塵」在更早前不是一個問題，至少在一九九〇年，那時我十歲，我的記憶十分清晰地告訴我，人們還總認爲「新鮮」的空氣和「空中」是分不開的。人們認爲空氣都是氧氣，充滿天空，並且空氣可以透明得一點雜質都沒有。在公園裏——離我上學不遠的地方，常常有一批早起的人在花木扶疏的大公園裏做晨操，我常跑到那兒去閒看。有一個很漂亮（至少那時我的審美觀點那樣認爲）的阿姨，她穿著燈籠褲，束腰的緊身衣，臉橢圓而紅潤，潔白閃亮的牙齒，她常執一把木劍，演習一套舞蹈，當她躍高嬌小的身軀，美妙地轉身落地時，我可以看見她的髮髻的銀釵在朝陽中顫顫抖動。我以爲她是爲了某種美的表現才到公園裏來的，她一定和做晨操的其他人不同。有一次我鼓起勇氣問她：「阿姨爲什麼常在這兒跳舞？」她很驚訝地看着我，說：「囝仔，這不是舞蹈，是爲了呼吸氧氣的運動。」我很失望，不論誰早起都爲了氧氣的關係。但時日推移，奇蹟似的，人們不再在公園中出現了，空氣變得混濁而放出異味，一九九五年，肺病橫遍全島，研究報告指出，那是人們在「戶外」吸收太多空氣的結果。二〇〇〇年，廢墟撲擊後，有錢的人紛紛遷出市外，想法子把房屋建在靠山區的坡地，走進市內，最好是戴口罩。二〇〇一年開始，超越自由黨淨化市內浮塵的辦法是規定市內市郊的工廠和燃燒機構，必須在每個月的第一週內集中排氣和燃燒。於是在那一週裏，人們最好縮短上班時間，如果上班最好待到室內。各種工廠（諸如水泥廠、燃煤工廠、食品工廠、鍛燒工廠、化學工廠……）和各種燃燒機構（諸如輪胎燃燒、廢料燃燒、塑膠燃燒、垃圾焚化……）在一週內拚命趕工。於是天空就一片地黯黑，浮塵立刻遮蓋了城市。有時如同沙漠的狂風沙，十步之內，目視也難。

但在「浮塵風暴週」裏，人們却發展出消磨時間的種種方法，特別是室內娛樂活躍。我答應小惠，要去市內看她，同時我建議帶著辛大夫和他的家人找個地方娛樂，小惠說好。

辛克勤和他太太及女兒阿昭坐在後面，他們的小兒子小偉則坐在我的旁邊，小偉說他要幫我駕駛。我很喜歡小偉。他們這個家是奇妙的組合，辛克勤是一個什麼都不信的自由主義分子，而他的太太却是一個有神秘經驗的女人，我常常在門口聽見辛太太和她的夥伴談昇天術及超感應，她們帶著鐵青的臉色聽辛太太的恐怖談話，完全沉浸在不能懷疑又不敢懷疑的戒懼中。我相信這是辛克勤打他太太的原因。有一次辛克勤狠狠地在我面前說：「我要打掉他媽的她八輩子的神秘術。」但辛大夫沒能如願，因爲小偉和他母親一樣也有神秘感應；他八歲，就讀小學一年級，他有雀斑，胖嘟嘟的臉，紅紅的頰，奇異的有一双略近海藍的眼睛，他的老師很難哄他，因爲他似乎學會思考（獨特的），智商很高。辛大夫也討厭他，因爲他說一些很難理解的問題，並獨創一套吃飯的方式。辛大夫一面打他，慢慢使他顯得「正常」（包括使他不再夢遊，不懷疑加減乘除要由左而右或由右而左），他絕對不敢在父親的面前提神秘術。有一次，他告訴我，他相信他父親很笨，因爲他父親每天早晨盥洗時都要大聲咳嗽，有時則記不起來過的病人的名字。他也叫我「攝影家」，他甚至問我：「攝影家，百科全書說蘋果落到地面是因爲萬有引力，但爲什麼不是萬有排斥力呢？」我聽了嚇一跳，我哄他說：「如果牛頓說萬有引力，那就是對的，因爲蘋果落地是事實，你不能相信蘋果會向天空飛去。」我的意思是要糾正小偉放棄空思夢想的習慣，後來害得我去查閱物理辭典，當我稍稍知道愛因斯坦時，我發現他的想法是對的，但爲了表示我的權威，我沒有向他承認我的錯誤。有一次，他也問我：「攝影家，如果我們是好朋友，你答應我說一些我夢中的故事給你聽嗎？」我說：「當然呀！人就是該把心裏的話說出來。否則他就容易心情不佳。」於是他告訴我，有一次他夢見自己昇到空中，羣星環列在他身邊，他很愉快，沒有什麼東西再會和那些星星一樣發出那麼晶瑩的光輝。他問我相信不相信。我說：「當然相信，我不是也可以把很遠的東西攝到我的面前嗎？」小偉很高興，他說他榮幸地遇上我。辛大夫警告我說：「你會把小偉慣壞。」我不以爲然，說：「這樣很好。」辛大夫沒話說。

對於家庭和婚姻的觀念，我相信我不能免俗，有時我認爲婚姻似乎是必須的（至少到目前，我們還沒有發現一個反家庭的社會存在），但我却懷疑辛大夫這種婚姻是否値得。他們似乎還維持著我小時候見到的婚姻生活方式，忠於「家庭奴隸制」。事實上自一九九〇年開始，由於人口的暴增，家庭的觀念急速在變遷，二〇〇〇年，廢墟撲擊徹底地粉碎了傳統婚姻觀，人人只求好好過完自個兒的人生而朝不保夕。如果說婚姻，單只一方的不悅，第二天就會離婚。那麼被解放出來的男女便宛如站在廢墟的殘跡上，沒有共同的一塊瓦可資共避風雨。如果堅持勉強履行不願意的婚姻生活，人們寧可自殺。我曾在攝影史上查到「古典時期」人們常以拍攝全家福的相片爲榮，有許多的攝影師也以此爲業，這點很難令人理解。但我可以從我的父母的身上發現這種殘跡，有時當然我會懷想，也許我也可以像古典時代的人或我的父母，有一個家室，和妻子、小孩堅守地渡完殘餘的人生，但這又有什麼意義呢？假如說我們忽然都目盲了，明天外洩核子射線，或突然肺癌、中毒死去……

我們很困難地在浮塵下驅車，小偉幫我注意前方的來車，避開阻擋在前的垃圾堆，下午二點鐘時，我們的車子停在女專校的門口。我們推開車門，戴著浮塵風暴週的口罩和帽子走進學校的來賓休息廳。學生還有人留在浮塵蔽天的校園裏。如今的學生課業是輕鬆多了，在我更年輕的求學時期，我相信那是交織著幸與不幸的年代。當時的政權不論怎麼說都沒有建立「新社會的哲學」，我們必須在學校學習傳統的知識：美術、歷史、地理、政治、社會……各種學科，通常倍感吃力。如今的「新社會」的教育則將之大半省略。比如歷史，不再有上古、中古、現代、當代之分，而簡單地冠以「古典」與「新社會」之分，二〇〇〇年以前的歷史和二〇〇〇年以前的外國歷史都稱之爲古典歷史。凡是古典的課程必須縮短到十分之一的份量，盡情地給予無情地批判。新社會的美術完全痛擊古典社會的各類畫派，把它們列爲一種落伍的藝術。而新社會的藝術主要是對當前臺灣文明的理想描繪（換句話是歌頌當前的環境）——這點不盡然和我的美學理論一致，因爲他們不主張我的「逃避理論」，超越自由黨的若干美學理論家認爲古典社會的美學是一種錯誤，所謂「美」應該是一種「超越」，沒有超越的美就是一種怠惰。新社會的美是目前最新階段的美，超越了一切，沒有任何的一個未來的社會能免於踵躡新社會，因此新社會的美學家是站在一切文明的前鋒，是領導者。有一段時間，一些年輕的畫家組成「浮塵畫會」，歌頌浮塵之美，相當有名，但最後受取締，因爲當局認爲如果美就不必歌頌，太過於歌頌會使人受「刺激」。的確，新社會有時是拒絕歌功頌德的，它的美學就是叫人承認當前都是最好的，而且用溫和的、柔順的、不許吵鬧的方式去默認。小惠在這兒教幾堂古典藝術和基本素描。

我們在休息廳等了一會兒，門被推開，小惠和一位頭髮斑白的婦人走進來。小惠穿著超越自由黨的藍色學校制服，銀製的釦子很別緻，一排沿著頸項到裙底，裙底露出了優美的小腿和一双銀色高跟鞋，她在額前掃出一個光亮的溜海，烏溜的眼眸轉著，英靈奕奕，那個婦人穿著很隨便的衣服，沒有飾物，差不多從頭到脚只是淺灰的一套服裝，好像隨時都在工作，我們相信她是女專校的工人。小惠非常高興，她拉著那個婦人的手說：

「她是我的校長。」她繼續說：「這位是攝影家，這是辛大夫一家人。」

「哦。」我吃一驚，弄不清怎麼回事。

小惠很尊敬她的校長，她說在美術大學時，校長是她的老師，實際指導她四年的古典美術研究。她的老師是古典時代的「人道主義」者。她相當在八〇年代和九〇年代有了聲名，就是她介紹小惠去找小宋的。小惠告訴我如果她能形容她的老師，那麼她是臺灣的「柯洛維茲」，小惠提醒我，「柯洛維茲」是德國有名的「社會改革」的女畫家。校長似乎對她的時代留有很深的印象，她提到各種運動，都是我在古典時代的書籍當中看過的，有些是我在十幾歲時偶而聽過的，但細節我不清楚。「人道」、「社會改革」是歷史名詞了，我表示尊敬，但我告訴她：「它們聽來是多麼陌生和遙遠。」校長說：「沒關係，這是理所當然的，現在是新一輩人的天下。」她提到說看過我的攝影理論的書，表示我的早期理論比較好，我不能說什麼。小惠代表校長向我抗議，她說：「不懂校長的話的人是淺薄者，至少他的藝術修養不會太好。」我尷尬地笑著。但我看到一度驚人的文化痕跡彷佛鏤刻在校長的臉上，但如今，她做何想法呢？……

辛大夫打破僵局，他表示我們要趕快到藍天咖啡廳去。我邀請校長，但她婉拒，我發現我們有代溝，於是我去擁別她，她愉快地慈藹地笑了。我們走離休息室，當我問小惠說：「超越自由黨是否該擁有妳這麼漂亮的女教師呢？」她說那是超越自由黨「三生有幸」。

「藍天」，多麼有意思的咖啡廳名字。它在一處較偏僻的地方。當所有的「性」的商店開張時，這類較正統的交誼所便只好退避到比較偏遠的街路來。但如今人口擁擠，倘使「偏僻」就意味人稀也是不確。這兒的商店林立，大都屬於服裝和餐飲業，低低的門楣，優雅的擺設。我們到達咖啡廳前，浮塵風暴到達最高點。在走廊上，我們把帽子摘下來，拍了拍身體，浮塵飛揚，我們走進咖啡廳，這家咖啡廳是有名的交誼所，什麼年齡的顧客都有。它會播一些古典歌曲，包括東洋、西洋、中國風的音樂，我甚至聽過半世紀以前的扭扭舞曲。咖啡店雇用一些團體遊戲的專家來主持交誼節目，他們會消遣大衆，而大衆也樂於被擺佈。落坐後，我們發現浮塵風暴週使這裏人數爆滿，間歇地有一些咳嗽聲，但咳嗽的人極力把聲音壓低。咖啡廳的座位很好，在一個圓圓的舞池四周環繞著五顏六色的棹子，灯光照在那兒發出各種色彩，在螢光的佈置包裝裏，輕輕地響動著音樂，很能讓人忘記外面浮塵蔽天的世界，小惠和辛太太一夥，在一張棹前閒談，小偉認識了小惠，但他好像不懂陌生，他告訴小惠說：「我好像很久以前見過妳。」小惠張大眼睛不敢相信地望著小偉。辛大夫和我窩在角落抽煙、喝啤酒，他說這個咖啡廳使他愉快，又憶起往日他波希米亞式的生活，他說要透露一點他的羅曼史給我聽，我說我洗耳恭聽。他先說大學生活，但沒說多少，咖啡廳的主持人來了。她強調今天的節目是化裝交誼，說：「如何使自己靜靜地消失於世間是當今生活的最重要的藝術。」她認爲掩藏自己的面目而談自己的事給別人聽是一件極大的快樂的事。她走進圓形的舞池裏，大家都向她拍手，她說我們可以在櫃枱取到衣物和面具，而後各自去找「伴侶」，如果他們喜歡可以聊天，不聊天就跳舞。在交誼結束前不可以啓開面具。我們喊了一聲，立刻奔到櫃枱，亂成一片。灯光即時打黯，可能是因爲一顆發著螢光的玻璃球之故，我在那張棹子坐下，一個貓面具的人走到我的對面，和我握手，於是在熱絡中我們開始交談。她是個女孩。

「妳幾歲？」我說。

「十七。」她說：「你呢？」

「三十。」

「哇，有代溝。」

貓面具的女孩笑起來，我發現她在咳嗽。

「也許。」我攤攤手：「但我們可以說一些自己的事，可能會有一些可以溝通的地方。」

「我不曉得你的見識如何。」貓面具的女孩把灯捻暗一點，她說：「我現在先不考慮你。但我把你當我的顧問，我先說一些問題，如果你不覺得有趣，我們就離開去找別人，希望你不是俗人。」

「好。」我說。

「我要談服裝，還有我的自由和愛情，你提供看法。」

於是她談起目前她正在一家服裝設計部工作。她最近設計一些灰色的服裝，因爲灰色的服裝可以和現狀配合。她實際也開始一些斗蓬設計，因爲在浮塵的世界裏，人應該有一件斗蓬來遮浮塵，我的建議是：她設計灰色的服裝是不當的，沒有顏色的城市須要更多非灰色的東西才對。斗蓬的設計是很具開創力的構想，她會大發利市。聽了，她問我做什麼職業，我說攝影，她笑了一聲說：「遇到了好顧問。」第二個問題是她自己的私人問題，她認爲她不能決定自己的一些行動。她說半年來她和一羣朋友相處在一起，她們的哲學是從學校的教師的話引伸而來的，她說老師總告訴他們，超越自由黨是一切自由的先鋒，是絕頂自由的。他們也認爲老師的話是對的，新社會是一個不可能有壓力的社會，因爲沒有將來可以考慮，所以她和朋友只考慮如何使目前過得比較愉快。她告訴我現在她和七個朋友共住在一個房間，城市的空間擁擠使他們沒有錢租房子，他們約定誰也不准愛誰，他們不要破壞共生和穩定。她問我共居的看法，我表示沒什麼不好，事實上，廢墟撲擊後，城市的男女開始打破了一對一的關係，男女已不談古典時代的那種愛情。我注意到這個少女，她咳嗽得很厲害，她繼續說：「李先生，但最近我遇到一個難題。」她表示，在他們的團體裏，有一個男孩很愛她，她也喜歡他，但爲了不使大家破壞了彼此的信用，她沒有對那男孩表示什麼，但現在她發現她的肺病很重，她恐怕會死去。她知道現在肺病八成是肺癌，她很想說一聲愛他，至少在她死前可以讓他明白她的心意。我發現她的聲音在顫抖，我驚訝起來說：「妳該告訴他！」她說她不能決定，尤其一個人就要死去，她說愛不愛對將來有什麼實際的用處。我告訴她，人不能沒有愛就死去，我說我看過一本古典小說，那是描述一個肺病的女孩和一個受傷的冒險家在醫院成爲戀人的故事，他們都沒有保險會不會死去，但愛情使他們有了求生的意志，如果她聰明應該和他離開城市到別的地方去。我只好這麼說，但我却不知道是否眞的有一個地方可以逃避。那女孩顫抖地去摸索棹面燦爛的玻璃球，努力壓制激動，却說：「你的話眞古典。」她請我跳舞，而後我們各自分開。在半小時內，我找了三個談話的對手。這三次，都是我向他們提問題。我向一位四十歲的女人說如果她現在還在等待，究竟在等待什麼？她很乾跪地說：「上床或上天國！」半鐘頭，我摘掉面具，回到座位上來，却不見小偉和阿昭，後來我們在一團小孩的陣仗中找到他們。這些小孩居然玩銅板賭博。小偉把他們的錢都贏走了，因爲顯然他每一次猜中二面銅板中的一面。

辛大夫喝醉了。他告訴我說他拚命和戴面具的朋友隔著面具乾杯，他遇到兩個中年婦人，都比辛太太幽默。他說：「我願意還是單身漢。」他表示願意繼續和我談一點他婚姻的秘密。他告訴我，一九九八年左右，他還在醫科唸書，廢墟警訊相當給有識的年輕人影響，於是他們認爲組織家庭是一件可笑的事，他們眞的相信一句話：「覆巢之下無完卵。」於是流行自由的新換妻制度，他們有一羣人輪流交換地住在一起，但是彼此以相互照料生活爲重。比如現在有人須要一個庭園設計，那麼他可以請求一個女孩和他住一段時間，直到她把房間佈置好後分開。他們那樣生活了二、三年，在各地這種青年團體很盛行，人人沒有怨言。二〇〇〇年之後，超越自由黨整頓社會秩序，以「不當結社」爲名禁止這種團體的存在，於是他們便結束那種美好的生活，最後一位和他住在一起的女孩子就是他太太，那時他正想信教，因爲二〇〇〇年時的生活格言是：「你應該虔誠信教。」於是請了他太太來幫助，團體遣散後，他們就結婚，誰知道，結婚後他才發現他痛恨宗教，但已經太遲了。他說他是被時代所貽誤的人，他太太把他的人生弄得很悲慘，他希望有生之年盡量不要看見他太太。我警告他說如果沒有辛太太，那二個小孩會把他弄得更慘。辛大夫說：「這也是實話。」小惠回來了，她摘掉面具，坐在我旁邊，我問她和那些朋友說什麼，有沒有人稱讚她的分析能力，她說沒有，但有一個二十歲的男孩子不讓她走，她說那個男孩說她的聲音像銀鈴。我問她還有沒有更好的稱讚，她在我的耳邊小聲地說：「我不要讓人嫉妬。」而後她有禮貌地注視著我。（這話眞奇怪，她是什麼意思呢？）

這時我們發現櫃枱邊發生小騷動，二個警員進來，他們和一羣年輕人發生爭吵，我走過去，才知道警員要取締一羣雜居的小孩，我從衣服發現裏面有個女孩就是剛剛戴貓面具的女孩。拆下面具的她顯得多秀氣，她的額頭異常開濶，鼻樑挺直，我很能看出她秀外慧中的本質，但她咳嗽得更厲害。所有的人都抗議，但沒效果。我只好走上前去示出我的高級黨員證，他們愕然。我說剛剛我和他們談過話發現他們很好。那二個警員說：「但雜居是不好的。」我說：「如果他們是好搭檔，爲什麼要拆散他們？」最後那二個警員只好在寡不敵衆的情況下離開。他們高興地跳起來，表示勝利，貓面具的那個女孩走到我的面前，她露出一種卓越的決斷力說：「李先生，我決定按照你的話去做。」而後她去站在一個有著好看的柳眉的男孩旁邊。

我們離開咖啡廳，感到很愉快。在送小惠回女專校的時候，小惠和小偉坐在我旁邊，辛大夫說：「我們的鄰居太少，爲什麼小惠不搬過來住呢？」我感到猶豫。辛大夫說：「你覺得你的鄰居太多嗎？」這次我發現小惠拉著我的手。

5. 3月 日

我的理由是如果一個人待在市內，他就可能得肺癌，而他是一個女孩子，更容易得肺癌（當然我不知道醫學的研究是否證實過這一點），而又假設，你碰到的是一個陌生的女子你也有義務勸她離開，更何況她是……於是我邀請小惠住到北回歸岬角。她答覆我說：「要先考慮距離問題。」於是我請隔壁的老友林山暫時遷居。他說他討厭搬家，但遇到這種生理性的難題他只好遵命。我還得要請教他所謂的「生理性難題」是什麼。

早上，我起來修葺林山的房子，他把一切都弄糟了。不曉得公寓的維持員將來要怎樣不望而興嘆。當我還沒理出十分之一的秩序時，已經十點鐘了，林山跑來和我商量一件事，他背著旅行袋由岬角下的階梯上來。

「不關房子的事！」林山說：「是另一件相當於發現新大陸的事。你和我去攝一些記錄影片回來。」

「你在討人情嗎？」我開他玩笑，但立刻請他到厨房喝茶。

「你一定要出去一趟。」林山說：「我要說服製作組，做個特別報導。」

於是林山告訴我，在靠近市府，有一條**渦流十字街**，那裏是一個奇怪的百慕達三角。他曾和許多人談過，差不多在最近十年內，那個十字街附近的人口流動性很大，每隔一段時間，人們會遷入又遷出，而每戶的人家幾乎都發生過意外，包括跳窗、心臟痳痺、狂怒、鬥毆、歇斯底里、昏迷不醒……成打的意外事件，死亡率很高，他說那裏鬼氣高張，但事實上那個十字街人口稠密，車水馬龍……我聽了，長長地舒了一口氣，在我們這種生涯裏，即使我只是一個客串的新聞攝影者，但已經夠累，不幸的事件看得太多有點使人失去生活鬥志。但我們是搭擋，不能推辭，我說好，但回程時，他必須幫我繞道去爲小惠買花，特別要一張搖椅，因爲小惠是個喜歡坐在搖椅上沉思、分析事情的女孩。林山沒異議，但他問我要爲她搖一輩子的椅子嗎，我說如果可能我願意。林山無可奈何說：「她一定是個娃娃。」我說：「正是如此。」

渦流街是有名的繁亂區，難以計數的住家和工廠混雜在這兒，人潮和車輛進進出出。這裏的房屋群是半世紀臺灣都市建築極爲典型的範例，一切的巷道都打破了規格而雜然並存。高聳的、低矮的、醜怪的、流線的、陰暗的、刺眼的……一併存在。我們在渦流街走一遭，車輛很厲害地穿過各個巷道而滙集在渦流十字街又復分散，喇叭聲很大，聲音形成一個奇異的振波，衝擊耳膜。我們容易在一聲很長的喇叭聲裏聽到重重的路面碎石機的數十聲連續敲擊「碰！碰！碰！碰！」，而在長長的剎車聲中聽到空中的新建築發出震天的鐵器聲「軋！軋！軋！軋！」。我特別注意這裏的街道被浮塵構成一種夢魘的景觀，街道傾斜，走到外面來的人面色慘白，好像血色整個被空間吸乾了。我走遍這地區比較著名的「鬼屋」，意思是較常發生死亡事件的建築，很難不叫我想起古典時代的畫家孟克的畫。林山訪問一位住戶，屋主說他年老的父親在前幾天忽然去逝，但事先沒有跡象，只是有一天，他打開房子，發現他的父親瞳孔放大，張大嘴巴，他過去扶他時，才發現已肢體僵硬地去世了。在一個大屋裏，我們也找到一群雜居的青年，他們表示數天前他們其中的一個朋友忽然大叫頭痛，很快就死去了，他們認爲那個朋友在電訊局裏工作，也許精神長期的緊張是死因，在渦流街的人相互有一個默認，沒有一個人敢保證他們是安全的，但他們也沒有遺憾，安不安全是一個古典時代的落伍的想法。我們在渦流街道探視一幢沒人敢住的「鬼屋」，其實，這幢房屋建築相當寬廣，是爲了一種特別目的而設，窗戶相當別緻，它好像可以吸納渦流街的聲音，變成一種聲響的共振處。我們走進這幢房屋，就略感頭暈，事實是曾有四個住戶，都在同一個住進期內，有數人發生意外。我在這兒攝了一連串影片，它給我的結論是：渦流街不可思議，或許它眞的存在一種略似神秘百慕達三角的那種神秘。

我們在渦流街道浪費了太多的時間，車子轉入市場，我們在氧氣的公賣商店買了幾袋氧氣，而後在鮮花店停下來，如今的鮮花是太貴了。它必須仰賴高山或遠離市區較遠的地區供應。陽光的不足和浮塵的降落使臺灣有名的菊花潰然而萎黃，花的輸出早已中止。林山是典型的戀愛主義者，他眞的是一年可以換二十個情人的典型新社會青年，他譏笑我的專情是古典時期留下的少見古董之一。他說：「你是攝影家，不是古董收藏家。」他表示不相信只有一個叫小惠的女人會使人不能忘懷。我只好笑笑。林山很會買花，這點他幫了我的大忙。在回程時我們走進傢俱店，哪個搖椅才會和一個喜愛古典藝術的二十五歲女孩相配呢？

※

下午又是錄影，出場的人又是潘娜娜，這是最後的一場，攝製的地方是七號攝影棚，外表是一座大的倉庫。我們必須將倉庫潑油，而後燃燒，兩旁的人拿著雷射的假槍互射，他們不停奔走，構成一幅巨大的火海戰爭，潘娜娜在火海前唱歌、表演示愛的激烈動作，而後戰爭和火光停止。他的意思是「性愛之火」因「性」而熄滅。

我們很放鬆，因爲這是最後的一場，導播說以後要做潘娜娜的節目，他寧願下地獄。

沒想到情形依然不變。

潘娜娜仍然是那一套。他又罵我們「性衰竭」，大叫：「私處！私處！注意我們的私處！」

事實上，我們也沒有好的粗話回敬他，也同樣跑過去罵他：「豬！」

※

四點半的午後，宿舍突然熱鬧起來。辛大夫的家人和鄰居都跑過來了，他們因著小惠的到來而忙碌，我從攝影棚踏進公寓，鄰居們和小惠在房屋內外忙得不可開交，辛大夫告訴我說：「李信夫，我們決定你應該讓出你的房子。因爲這兒的光線較好，可以望見海洋，至少這裏的佈置比較舒適，我們堅持，如果女孩子住的地方比男孩子差，那是男人的不義。我們從沒想像到你後陽臺的房間是那麼好。」哦，我眞懷疑辛大夫會說這種話。我得重申我是戀舊的人，喜歡自己經歷過的事情，即如在陽臺的小房望海的這件事，是我每天必做的儀式。我常在日落或夜半會搬一張椅子，坐在陽臺，脚掛在欄杆上，遐想著有關海的事，一天天，海就凝結沉澱在我的夢裏，變成一種永恒的記憶，如果我搬出這個房間，我會有失落什麼的感覺，但沒有一件舊記憶會比得上小惠的舊情（抱歉，這是多麼庸俗却含著無限的名詞），我認爲她抵得上一千個海洋的記憶，於是我同意讓出房子。小惠穿著旅行的服裝，藍色的多口袋的燈籠褲，短袖的碎花上衣，束著髮整理房間，她說：

「信夫，他們說你心甘情願地讓出你的房間給我，可不是嗎？」

「對極了。」我舉雙手投降。（我還能不心甘情願嗎？）

她大爲滿意，她說有著一排盆景、三面明鏡、鑲嵌壁飾及一個海使她高興，至於一張搖椅，她認爲她要好好坐在那兒分析一個人的心理和他的感情。

我和辛大夫談了一會兒，有關渦流街的概況我向他複述了一次，我自己震驚於渦流街給我的印象如許的深，或者辛大夫可以提供一些意見，那麼將有助於林山製作這個專輯。辛大夫表示他到市內要仔細看看，他認爲這種集體性的意外事件不會是「意外」，他很樂意幫忙。

※

把林山的一箱破鞋丟到垃圾箱，已是晚間九點鐘。那邊的小惠也已安頓就緒，她公平的不要我任何的東西，有關可能有發霉嫌疑的東西全數歸還我，包括一大堆的藏書以及破爛的罐頭和餅乾（她特別在我的床下搜出這些備用品），但有一本相簿她要借閱，（我有權抗議她侵害隱私權嗎？）她說凡是有我的味道的東西一律驅逐。九點到十點，岬角寂靜下來，我和小惠在電視的螢光幕前渡過一小時，在陽臺上我見到海上的燈火亮起來，堤防延伸如一條光彩的布帛，漁火在遠方滴滴答答閃爍。小惠說如果我懷念鏡子的房間，她不反對我在那兒再和她共坐一小時，我恭敬不如從命。

夜間的露很快地沾濕了小陽臺。小惠晃動她的坐椅。許是燈光的輝煌或是海的遼濶，她的沉思的姿容美好如詩，披散在椅背起伏的長髮宛如浮起於時光的波浪上。我不能決定在這個時刻該不該想起一年前的往事。差不多整整的一年，我變得老邁不堪，如何才能去銜接往日無邪的故事就成了困難的習題。但小惠總能解答這種問題，她忽然說：

「攝影家，如果我沒有你的允許，能問一問你『切身』的問題嗎？」她把切身二個字說得很重。

「切身？唔，當然可以。」我表示一切公開，我說：「但請別問些悲傷的。」

「不是悲傷的。」她用烏溜溜的眼睛看我，聲音多麼溫柔：「攝影家，在你的相簿裏，常出現紅衣服的女人是誰？我說我很關心她爲什麼戴那麼名貴的飾物。還有一次她竟然幫助你整理衣服。」

「哦。」老天，她觀察簡直入微，我說：「她是陳瑪麗，她每隔一段日子要在電視公司做節目，她央我拍攝一些她的照片。」

「包括和她駕車出遊嗎？」她又溫柔地問。

「小惠。」我把椅子靠近她說：「抱歉我在信上沒有告訴妳。我和她君子之交，她也跟我學攝影，出遊是她的好意。」

小惠沉思了一會兒。她忽然拉著我的手說：「攝影家，也許我們都錯了，我不是指我嫁了別人而你來到北回歸。我只是說我們也許不該在這時代相見。」

「噢。」我完全猜不中她的心思，她在氣我沒告訴她有關陳瑪麗的事嗎？

「攝影家，如果眞有一天，我完全離開你，你會不會恨我？」

她捏著我的手在抖動。

「我們不會離開多遠的，對不對？」我說：「我們離別一年，但還都是在島上。」

「哦，信夫。」她輕輕的攀著我的臂說：「我的意思正是指有一天你在島上而我在島外。」

她神色凝重。

「妳說什麼？」

她顫顫地摸索著我的眉睫說：「我計劃逃出這個島！」

6. 3月 日

我該不該和她爭辯這個問題呢？假如有一百二十萬的軍隊，他們完全封鎖住一個島，而且所有的水陸空都設下重重的檢查，包括天空一隻迷途的候鳥都會在監視網下露出它的行踪，我不相信會有人堅持要離開這個島。長久的歷史發展，我相信超越自由黨已經創造了人類一個銅牆鐵壁的社會。我們的口號是：「人民要保護！國家要鞏固！」二〇〇二年，有若干自由派的軍人提出軍警增加的質疑，但不論是誰都遭到監禁和槍斃。我在古典的文學作品中發現一本《古拉格群島》，那是描述蘇聯的史達林時代的無數勞改營的作品，內容還好，它的唯一錯誤是把「古拉格」的社會視成「不正常」，事實證明，「古拉格」的出現是一種正常，完全合乎人性，超越自由黨控制下的臺灣完全合乎它的要求。我不相信誰可以逃出新古拉格。

「攝影家，」小惠却堅持說：「我怎能放棄希望呢？」

她把一本剪貼簿偷偷地拿出來，那是有關泅泳、偷渡、闖關成功的剪報，看來十分整齊，但我以爲這眞眞正正是一種「夢想」。

「不！」小惠說。她翻開最後一頁剪報，那是前幾天的新聞，有關一位高級官員的逃亡記錄。有一位官員以訪問的方式到了國外，而後在接洽事務時申請庇護。我告訴小惠，我們還不理解超越自由黨將會怎樣對付他和他的家人，這案件不是好範本。小惠卻說人是有希望的，她認爲超越自由黨的恐嚇超過了實際。我們爭辯了三天，在今天，我們同意結束爭論，原因是最後我訴諸感情，我說我不曉得一旦她和我如同永世一般的分離，我是否還會活下去，我的人生意義本來就不大，不能再喪失什麼。她沉吟了好一陣子，而後她提議要陪我去開完我例行的節目策劃會議，之後，我陪她去海灘游泳，我認爲很公平，午後走出宿舍，我沒想到她變得那麼溫柔，好像忘了三天的爭辯，把我捲入她的夢裏，大談崇高、公義與美麗。

※

我們曾在幼年的時候閱讀許多的童話，浸染在狐狸、小貓、野狼、鴨子、老鼠……的世界，我們甚至爲了想永久擁有這些童話而不要成長。可惜無情的歲月會剝奪這一切，在長大後，我們自然地疏遠它，連記憶都不可能，一部分的因素是，也許長大的我們認爲那些童話只是寓義，實際上只在暗示或說明人性，因爲狼不可能說話，而貓不會打蝴蝶結。但我們卻從沒想到，如今童話會成眞，有一個童話叫「城裏的老鼠和鄉下的老鼠」，那是描述一隻城市老鼠在造訪鄉下老鼠後，發現對方的窮困而邀請鄉下老鼠到城市去共享富裕。鄉下老鼠卻看穿了住在城市的危險，又回到鄉下。「斑衣吹笛人」則描述老鼠大量湧進市鎮，人們無法應付，而由斑衣吹笛人將老鼠引入河流的故事，但如今的事實是：老鼠眞的大規模來到城市，而斑衣人却沒有出現。

事情是這樣：在前幾星期，報紙報導中市的老鼠似乎有增加的趨勢，而一些家庭主婦明顯地發現他們的厨房裏出現了老鼠的奔跑聲，幾星期後，高市的街道在晚間有成群的老鼠穿行，白天，人們發現老鼠死在馬路上，人們立刻驚慌起來，如今垃圾充斥各地，人們不曉得老鼠的出現是否預言著一場瘟疫。執政當局追查眞相，農業單位立刻發佈一項他們掩蓋已久的秘密，那就是農業帶來的災害，這是因爲半世紀以來使用劇烈農藥形成的總結果。原來在一九七〇年以前，臺灣似乎還有一些清潔的農田，至少在一九八〇年左右，還有詩人強烈表示鄉村和農村是可資共生共存的地方。但在一九八五年以後，許多的作家和科學家轉向攻擊土地的汚染，而鄉野常出現的野生動物——諸如白鷺之類迅速死亡，蛙類和魚類一齊消失，一個詩人描述一條河川，稱之爲死亡的冥河，他說：「堆滿的破藥罐如同未埋葬的骷髏。」農人們並不知他們在做什麼。一九九〇年，農村人們的健康度大幅下降，肝病攫走了大量農人的生命，皮膚病則在收割的季節極其流行。一九九五，專家寫了一本《絕緣的泥土》，呼籲都市的人不要隨便到鄉村的田埂和河邊走路，赤足接觸泥土可能是一件危險的事，這本書立刻遭到沒收。但人們稍稍知道這是使用農藥造成的結果，大批進口的美日歐農藥把野生動物鏈摧毀了，在土地裏留下世紀的毒藥，就在這時，鄉村人也發現了他們不必再用毒餌與老鼠作戰，那些往年吃去不少作物的老鼠迅速在農田裡減少，而轉向攻擊家畜，於是農人只好把毒餌轉放在家舍。現在老鼠開始移向都市。超越自由黨在澄清這件事後立刻呼籲人們不必緊張，因爲這種現象明顯的是新社會的勝利，沒有任何的社會會迫使老鼠這種狡猾的動物走入絕境，新社會却奇蹟地做到了這一點。超越自由黨在各地舉行滅鼠勝利宴會，並要電視製作一連串的節目，超越自由黨宣稱要使老鼠在現代生物誌上除名。

我和小惠趕到製作部時，會議已熱烈進行。在幾週內，我們已經搜集不少資料，有關老鼠在人類社會扮演著相當不一致的角色。在「鼠疫」的歷史裏它和人類同歸於盡，在文藝作品裏它肩負著被害、過度敏感和卑怯的命運，只有在一度流行的太空神話，米老鼠成了英雄。這種性格上的差異，使節目的製作單位擇捨不定，如何和當前的老鼠進城相配合，成爲難題。

「我們得先把它弄清楚才能做決定。」

節目部的企劃林義風咬著煙斗，他在數週前接到指令，籌劃慶祝節目，但他到底不知道要敵視或憐憫於鼠類。小惠給我建議，她認爲這件事其實是人類破毀了生物的家，那麼人是否應該向鼠輩說抱歉呢？假如說抱歉，那麼實則會帶給大家一種尊敬生命的崇高意識，小惠認爲電視應轉向歡迎老鼠抵達城市才對。我轉達小惠的意思。撰稿者李紀仁立刻發出懷疑，他說：「我認爲這樣做太仁慈。我們不是想讓老鼠把城市的東西吃光吧？」小惠站起來，她好學深思地說：「事實上，不會那樣。最後的結果將是人把老鼠吃光，但在吃光老鼠之前要保持一點人性或風度。」

小惠說到「人性」很認眞，但她的意見只被列入考慮。

「我一定要好好看你們上演的把戲。」我們走出會議室時，小惠生氣地說。

陽光在近黃昏時仍堅持餘暈，雖然略有浮塵，但一切看來多麼美好。

岬角和南部地區的人都跑到這兒游泳，夏日使這個海灘成爲消暑的去處。我不諱言這岬角也有它的滄桑史。在岬角人的言傳中，我打聽到這個游泳的海灘以前有一個左旋迴流，只因有一條河流由這裏出海。一九九五年時，它常將一些游泳的人捲走，執政當局曾明令關閉它，但人們却奇蹟地因著這個迴流而奔走到這兒。人們只爲見到這一片沒有太大汚染的藍色奇蹟而結束他的生命也在所不惜。沒有將來的人生觀使這兒成了許多情人和夫婦的埋骨所。超越自由黨執政後改善了它，將那條河移往一公里之外。但人們仍像追逐的魚會游向那個河口。我把這件事告訴小惠。她在背後抱住了我的腰，把頭靠我在的肩膀上，啊，我感到她的心跳和我的心跳是多麼協和。她說：「攝影家，我們是否也該聰明地游到那條河，如同一雙世紀苦難的魚兒。」我說：「不！小惠，我要陪妳活得長久。」她輕輕地拉了我一把，而後我們奔進了淺灘。由這兒可以回望岬角，它矗立如一遺世的堡壘。我們相互追逐，在深海時，我抱住她，在她的頸邊吹氣，她緊緊地纏繞住我，說：「攝影家，你怎麼不想探尋著進入我生命的最深處呢？」哦，我當然想。

在回到小小的房裏時，我忘了自己，眞的，我從來沒想到會接觸小惠。像櫻花樹下一樣地美好，當我們靠近床時，我去撥開唯一覆蓋她的長髮時，發現她的耳旁有一對的墜子，銀光閃亮，那是我離開她時的最後禮物，她將這對墜子戴在她的家族保留的古典的耳洞上。我感謝她，眞的感謝。當我埋入她的髮茨時，她迅速地把我捲入她優美的腋窩中。

一覺醒來，夜暮低垂，她又坐回那張搖椅上，用孔雀印花毛氈蓋住她的身體，安嫺地微笑著。她說我就如她所想像的那麼好，她喜歡我的臂和腰，當我又去逗她時，她又緊緊地抱住我，這次我完全放鬆，浸入她的髮香和恰當的體溫中。

我記得在搖椅上吻她時，月亮出來了。照在岬角的波光上，我彷彿覺得我們的肉體一如波光，成爲一片金黃色。

7.

4月 日

應不應該幫忙小惠去向李可然要那張離婚同意書呢？這是一個值得考慮的問題，小惠告訴我要一張紙面的承諾並沒有困難，她不認爲李可然會無聊到爲難這件事，小惠自認她可單獨前去商量，但我不做如此想。我認識李可然，在我和小惠相戀的兩年中，李可然常常出現。當時我完全沒想到他會透過家族的說項帶走小惠。這個人中等身材，長得清秀但略近尖刻，嘴角常掛著一種譏意。有一次，他和我在小惠的家見面，他在一個屋角對我說：「我要搶走你的女友。」那時我的情況很糟，我不認爲小惠應該永遠跟著我，我淡淡地說：「那麼請便。」他不相信地望著我，說：「你難道不愛她？」我說：「正相反，我衷心愛她。」果然，他帶走了小惠，只可惜沒帶走她的心。這件事不會簡單解決。因此今天我告訴小惠，如果她不介意我的介入，我願意陪她走一趟。他們約定的見面地點在南方的濱海公園，但車一離開岬角，我却感到我可能錯了，因爲我有一種不祥的感覺，確信會發生事端。但這種不佳的感覺也可能和昨日晚睡有關係。

昨夜，林山和辛大夫到我屋子裏來，他們談論渦流街的事，辛大夫說他實際到渦流街走一趟，林山的先見不凡，辛大夫認爲渦流街不是普通的街道，他把一本舊書丟給我，這本書是他五年前從事地區性醫療的參考資料。

「如果我的判斷不錯，」辛大夫說：「這條街已經形成臺灣第四個**殺人噪音區**。」

辛大夫解釋說，殺人噪音是區域治療的新名詞。在傳統的古典社會，沒有人能理解那是什麼。換一句話說，歐美的國家在二〇〇〇年以前或以後，完全不知道這種醫學上的新病種。因爲只有新社會——二〇〇〇年以後的臺灣社會才出現這種病，這是殖民地必須擔負的後果。由於半世紀以來，外國報廢的工廠轉移到落後的地區來，衆多缺乏完善設備的工業逐漸在這地區漫延開來，最後侵入住宅區。一九九五年以後，臺灣的工廠和住宅區愈來愈分不清，落伍的、笨重的工廠隨便選個地點就開工。有時候我們會在一個豪華的大飯店後面發現一大堆的破房屋，人們的機器搬進破房後就從事軋壓和鍛燒，有時人們發現有一個清淨的住宅區可住，第二天就聽到震天的機器聲。尤其在市內的交通頻繁區，車輛的噪音滙合這些機器聲，變成一種高速廻轉的音渦，在一定的情況下它會殺人。辛大夫表示，截至目前爲止，聽覺神經的研究相當粗糙，而物體對空氣分子的震動理論也不夠深入。我們很難清楚，一個地區空氣分子的震動和耳膜及腦部的聽覺神經形成的某種應然的關係，但殺人噪音區的空氣分子顯然是一種激烈而錯雜的運動，它會導致耳膜接受不規則地撞擊，而使聽覺神經整個錯亂。譬如我們走在殺人噪音區裏，有時會完全聽不到聲音，四周寂靜，人們以爲進入一個無音的環境，但他們不知道那是失聰的現象，他甚至會感到所有的車輛都像無聲的游魚，爭相地游到他的面前來，當他感到一陣重擊時，已被輾斃在街道。而噪音不但會使人血壓升高、脈搏失常，甚至會很快死亡，在二次大戰時，據一些資料顯示，納粹對待囚犯可以用噪音迫使囚犯發瘋或死亡。二〇〇〇年，神秘的殺人噪音區在北中南各有一處，一位醫生曾從事這種研究達六年之久，他提出「環境音學」的理論，呼籲都市社區的建構必須考慮空氣分子的震動，他揭露北中南三處殺人噪音的神秘現象，他認爲殺人噪音區的存在如同一個誘食的捕蠅草，那就是它往往是人口的聚合（主要是是工作機會大），當人們住進這地區時，他們不久就發現家人慘遭意外，不幸的氣氛會傳染，於是在一定的階段內，人們會大量遷出，人口密度下降，留下大量「鬼屋」，但一段日子後，人們又搬進來，他們忘記了不幸的事，但悲劇又重演。這醫生被超越自由黨控以煽動罪而入獄，人們忘記殺人噪音區的存在。辛大夫說，如果林山要做報導，是否該考慮後果。林山垂頭喪氣，但他表示，也許可以用一種風俗性的報導，通過鬼神的觀點可以做一點節目也不一定，我同意林山的作法，但我爲之不悅，徹夜沒睡，我幾次都夢到但丁神曲的景色出現在我的視域中。另外一個不祥的感覺是我知道抵達南方濱海公園時必須經過濱海的一個「廢墟村」，這也是人們心目中的不祥空間。在距北回歸四十公里的海濱山丘上有一個神秘的山洞。在一九九九年，執政當局完成第十九座的核能發電廠，使得核能廢料的處理發展成棘手之難。他們在這裏偷偷地挖深地層，埋掉一些廢料。但非常不幸，這地區的居民發現他們常死於意外，常出入這裏的人易得癌症，反對者揭露秘密，廢料立即移走，但這裏迅速成爲人們不敢駐足留連的地方，宛若一個響動地獄之聲的關口。

我和小惠經過廢墟村時，把車速加大，我們看到那座高聳的山丘就在丈高的頭頂。它暴露在天空下，完全寸草不生，超越自由黨用水泥將整個山丘封閉起來，塗上刺眼的顏色，標準的是一個死亡的警示屏風。我們的車子很快地抵達南方濱海公園。

這是有名的熱帶公園，正是昔日有名的熱帶風景區，數世紀前，一個外國的水手就因爲看到這裏林木的美好而稱臺灣爲美麗之島，由這兒可以見到南方遼濶飽滿的海洋。在幼年時，我曾數次隨著大哥到達這裏，在我印象中，這公園花木扶疏，濶葉又綠又大。但現在它看來已非昔比，差不多所有的花木都必須用透明的塑膠布加以遮護，無法遮護的花木必須靠著大量水分的噴灑。事實上，二〇〇〇年以後，無法以膠布遮蔽的花木越來越髒，只好將之鋸掉。現在大半只存膠布培養起來的小花草，受創而荒廢。我們在餐室前的一個停車場下車，餐室只有幾個客人，李可然已經先到，他坐在一張長櫈上，縮著一隻腿，仍然是一派小開的模樣，他的衣著時髦而煥發，有一種膨脹起來的神氣。我告訴小惠，我不直接介入他們的紛爭，她單獨和李可然去談。我站在門口等她，浮塵下的公園有一種死的光芒，我看到五個人蹲在餐室門口用惡意的眼光看我。十分鐘後，餐室裏爭吵起來，我走進去，發現李可然在那兒嚷著，他顯然不如小惠所想那樣是個順隨人意者。我立即擋在他與小惠之間，李可然表示小惠應該和他回去，我立刻否認他的無聊，我說：「除了超越自由黨，沒有誰可以叫誰『應該』如何。」

「你是李信夫，」李可然說：「我終於又見到你。」

他惡戲地笑著。他說如果小惠單獨來取同意書他會交出，但因爲現在有我介入，他不想這樣做。我說他多麼無聊。李可然說我不該搶走小惠，她的離開使他沒「面子」。我否認人有什麼「面子」，他並不愛小惠，在小惠離開他二個月後他才找她，而且在小惠嫁他之前，我和小惠已認識二年，失敗而沒「面子」的是我不是他。李可然不再多談，他簡單地告訴我，他是不愛小惠，但在小惠離開他之前他想要回一點「代價」。他拍了一下桌面，於是門口走進來五個人，就是我在門口見到的那五個眼色不友善的朋友，我把小惠拉到我的背後，策略告訴我絕不能動。那五個人晃到我面前，惡戲地環著我走一遭。李可然用眼角示意他們，於是一個穿白色改良功夫裝的人拿一隻刀子，在空中劃著銀白的弧光，他很快地蹲身下去把刀子刺向我的腿部，我揚起另一隻腿踢中他的頭部，他的鼻孔立卽流血仰翻在一張桌子上，但紮進我腿部的刀子的痛迅速傳遍我的全身，那種痛深入骨髓，把我的內臟整個都要撕開，我渾身大汗。在白日裏，血特別鮮艷，沿著刀柄一滴一滴往下掉。

他們喧嘩了一陣。李可然走到我面前，他惡戲地說：「你用你另一隻腿前來拿這張同意書吧。」他揚著一張紙，說完很快地走了。

我挪移著身子，靠著小惠的幫忙，摸索地回到車座。我示意小惠開車，痛使我渾身抖顫。我意識到那隻刀差不多刺進大腿骨。

小惠臉色慘白，幾次發不動引擎。

「妳不怕嗎？」我說。

「怕極了。」

我找一塊車窗布簾，拉下來當綳帶，當我把刀子拔出時，鮮血直噴，迅速地染紅車座。

8. 4月 日

這是我躺在榻上第七天，辛克勤幫我做傷口的消毒、縫合、換藥。他告訴我，刀子切割得太深，那個癟三不應該在扎刀子時轉了一下刀面，沒刺中脈管是幸運，他說：「現在的人心狠手辣。」陳瑪麗來信表示關懷，她寄了三張高山的日出圖，問我焦距、光圈之類的問題。我告訴她攝影最重要的是感情和理念的問題。她說二個月後，她要再臨北回歸，希望和我駕快車去兜風。我也祝她演技大進，我們的友誼永存。林山則很快地打聽了我意外事件的細節，他說他必須把這件事告訴北回歸的黨書記。我要阻擋他，但來不及。

七天，使我有清醒的心智重新回想往事。我想著家族、人群、生死和愛情。這些糾結的事透過斷了希望的將來，攫住了我的心，變成千層的巒障，遮蔽了我的思路，前途變得一片黯然。只有小偉和小惠給我很好的安慰。

小偉來了，在七天中，他一直待在我身邊，大談他的奇蹟，事實上他在逃避辛大夫，他說：「攝影家，如果我們不喜歡某人，我們不是可以不見他嗎？」我告訴他：「除了你的父親外，你的話是對的。」他說他最近發明一套新的加減乘除法，既不由左而右也不由右而左，他的實驗成功了，當他演算給我看時，我嚇一跳，他叉手說：「攝影家，我們似乎不應該常感到我們身體在『痛』，因爲我們的身體是假的。眞正的我們沒有身體。」我警告他說身體是眞的，沒有身體的想法是一種幻想，小偉蠻不在乎，他刁皮地摀住我的臉說：「攝影家，我的意思是說，如果你忘了你有傷痕，你會好得比較快。」啊，我相信！我完全相信小偉的天眞談話。

小惠大半坐在床頭，她常分析李可然的態度，她說李可然是瘋子，但她不認爲我那天的逞英雄是對的，也許我應該放低姿態，她認爲流血使她傷心，人應該發揮崇高面，而不是動物性。但大半的時間她會說一些幽默的故事來消遣我，她不知那兒去弄一本最近要排演的電視劇本，那是諷刺二〇〇〇年以前臺灣社會的社會劇。她特別提到一個典型的宋派文學作品改編來的劇本，叫「魔鬼在島嶼」。情節稀奇古怪，她說宋派的文學作品看多了使人胃痛，但它可以治療「傷患」，她說那種笑話會使傷口大笑不止，這篇故事是這樣：

「一九八五年撒旦降臨臺灣，這位撒旦是最有勢力的魔鬼，他差不多結合了宇宙一切最偉大的惡德，包括掠奪、詐騙、收買、賄賂、恐嚇、暗殺、囚禁、鞭打、精神虐待……的把戲，他的身體散發黑色的光芒。但到臺灣時，他很覺吃驚。因爲島嶼顯然也散發更幽黑的光芒。撒旦想在這兒收買一個靈魂，他到處走動，一時間很難摸清門徑。在一個T市的大忙碌日子裏，他突發靈感，因為在大忙碌的日子裏，行政首長要駕臨T市巡視，全市的百姓進入緊急的慘境，攤販爭相走避，住戶打掃環境，鮮花擺滿馬路，人們都喊著：『官虎要來了，官虎要來了！』撒旦正猜測T市的官員會怎樣應付這場大巡視。他在黑暗中會見了市長、教育局長、衛生局長、建設局長和警長。撒旦表示他的寶藏埋在常發生山難的大霸尖山裏，他告訴這些先生，如果他們能用一些使他滿意的絕招來應付行政首長的巡視，那麼魔鬼的寶藏都會送給他。但撒旦提一條件說：『在得到黃金時，你們的靈魂事實上已出賣給我。若干年後，我將前來要他的靈魂，請他永遠住在地獄。』一般說來，魔鬼要收買靈魂在西方是不容易的，因為西方人知道地獄永遠的痛苦，而人生的享樂有限。但T市從市長以下到警長認為只要黃金不必考慮地獄如何，這使撒旦皺眉而不知道該怎麼辦。撒旦於是邀請他們在上級巡視後在大霸山和他見面，他要把黃金贈送給他們之中的一位先生。這五個人幾乎在同一時間越過了重重的山巒，而抵達山難最神秘的地點。當撒旦問他們怎樣應付上級的考核時，市長立即說他為了使上級滿意，立刻為行政長官們大開宴席，並叫自己的太太招待上級的太太們，分別送了金杯、金碗，他並整頓市容，罰了一千個市民的違規，使成千的攤販衣食不飽。教育局長說他立卽督導各校在行政首長巡視期間舉行園遊會、才藝表演、運動會，使全市的學生在二個星期裏學不到任何的東西。衛生局長說整頓市容其實是他的功勞，他的另一佳作是訓令在自來水裏放高單位的漂白粉，撲滅水裏的蚊蟲和蛇，甚至在水裏放DDT。建設局長說他立刻焚燒一個月來的市民投書，那些投書是檢舉工程舞弊和工程倒塌的事件。警長說他卽刻訓令一切舞廳、賭場以及民意代表事業暫停營業三週，並且放出風聲說他和各種娛樂場所的老闆沒有勾結。撒旦一聽，不能決定誰比較合乎他的脾性。他問這些先生會不會怕什麼，五人一致表示他們天不怕地不怕。魔鬼大感頭痛，他不知道黃金究竟要給誰，事實上他只要收購一個靈魂。撒旦垂頭喪氣說他不能分別誰的心比較黑。市長立刻走到警長面前，他表示無論如何，在上司的面前帶槍是一件藐視長官的行爲，他訓令警長把槍交給他。當警長把槍遞給他時，市長發了四槍，把衛生局長、教育局長、建設局長、警長都打死。市長立刻和魔鬼擁抱在一起。魔鬼表示會讓他升爲中央行政官員，並且魔鬼使人們相信其餘四人在登山時失踪。於是市長晉升爲交通部長。有一次魔鬼在一輛快速的火車裏見到一位少女，他很希望那少女能和他作伴，那少女漂亮極了，但家裏窮困，父死、母寡、弟妹生病，她和所有的苦難者一樣，希望見到上帝之光。魔鬼立即設計，他運用交通部長的關係使鐵路局長不去注意一個崩塌的橋樑，於是快速的火車衝進溪底，造成重大傷亡。那個少女的靈魂立即來到光明和黑暗的十字路口。魔鬼引誘她，說只要少女願意跟他走，她的人間的家人會立刻變得富裕而一切美好，現在魔鬼和少女在討價還價。」

小惠說她以前和宋派的作家討論過類似這種兩難的文學問題，宋派的人幾乎完全同意少女應該自動賣給撒旦，那樣才能救她的家人。但小惠却認爲凡是宋派的作家們實際上都是一些狗頭軍師，她的意見是少女應該迎向光明，她應尋求天堂，並試問天堂的神祇有沒有辦法救她的家人，而不是任由魔鬼擺佈。小惠在談這個問題時，眼神明亮，但常常她會在我痛苦的時候說：「攝影家，如果可能，我想割一塊肉來添補你的傷口。」她深深地注視我。我在她瞳眸中看到一個深淵，那可能是埋藏我的靈魂的永恒之地。有時她也含著淚，說：「攝影家，我們難道註定要廝守在一起嗎？」我說：「是的，小惠，就是這樣。」

北回歸的黨書記郭明福來見我。他表示關切這種不幸的事。而後他說：

「你是高級黨員，對否？」

「對！」我說。

他說高級黨員沒有受傷的理由，他要北回歸衛隊的隊長幫我處理這件事。他沉鬱地拍拍我的肩膀說：

「無知的人才耍刀子。」

我想阻擋他，但沒開口。

他們幫我寄出了信。約好和李可然見面，地點正是濱海的那座編號二十一的「廢墟村」。

※

我他媽的百般不願意超越自由黨幫我這個忙，也許我正像小惠所說的劇本一樣，把靈魂賣給了魔鬼。但我有何選擇的可能？我懷疑有一天，不論誰都不得不出賣給魔鬼。

衛隊長倪彬來了，他揹一個長袋子，顯然準備妥當。我詳細告訴他，對方有六個人，手上有刀子，我說我竭誠地不希望發生什麼。如果沒有必要，一切可以循著好的途徑來。倪彬笑了笑，他說：「我會替你轟掉他們六顆腦袋。」

車子很快在濱海路行駛起來，那扇核廢料的山丘轉眼就呈現眼前，這種「廢墟村」已在各地漫延開來，估計最少有四十個，很難想像臺灣可以容納多少個這種廢墟村。

我們在山脚下車，徒步攀行。這裏顯然完全荒廢了。沒有人肯相信本來是草皮鮮綠的山丘會寸草不生，而且從此以後沒有人敢在這兒駐足。這種死去的半里方圓之地域暴露在天空下，到處懸掛警誌，這是爲什麼？我能明顯地記起幾首古典歌謠，像「高山青」、「青青河畔草」，如今想起來，如同夢中之歌。

在礦坑的前面，我們停脚。愈近坑口，警示標誌愈刺眼，並且佈滿鐵絲網，礦坑口像一個深淵，如同地球的岩面。意外的，李可然和他的朋友竟坐在坑口，他們神色表現得蠻不在乎，望著我和倪彬呶呶嘴。由這兒看下去，斜坡的海蕩漾著，一片藍色，但不時浮沉著成堆的垃圾。

我們在相距二十公尺的地方站著。李可然說我的傷好了嗎?我說他媽的完全好了。於是他的朋友站起來，每個人都執著刀子。李可然說再捅我五刀，就把同意書給我。差不多在靠近我們十公尺時，倪彬迅速解下他的袋子，抽出一把手臂粗的大口徑的自動步槍，他的裝卸相當快，那幾個人還沒有走到五步之內。倪彬朝地面連發三槍，轟碎了一個癟三的腳掌，那傢伙立即倒地哀號，響亮聲震動山丘。其餘的四人嚇住了，忽然他們丟下刀子，朝著山坡下狂奔，倪彬在他們背後發槍，他們一齊逃入沙灘，躍入海中。

情況顯然改觀，李可然想不到這樣，他可能這時才看到倪彬的臂章上有個「不」字，驚駭異常，倪彬一槍擊在他的右邊，把他嚇退了十公尺左右，仆倒在石頭堆上，再一槍把他打退在礦坑口的牆壁上。我走過去，一拳擊在他的下巴。我向他吼叫:「同意書在那裏?」他昏迷地掏出來遞給我。

歸來時，我感到一種邪惡的滿意。我的雙手彷彿沾滿黑色和紅色混合起來的血液。

(第一部完)

第二部

9.

4月 日

氣象正播報一個大颱風要來，小惠的祖父恰好在前幾天去世，我們雖不願意，但總必須前往弔喪。

她的祖父是在一個有陽光的早晨去世的。小惠說：「人們都說這是一種吉祥的表示。」如今，人們對生死存亡的概念已慢慢模糊，但古典社會留下的若干習性仍被保留，例如「終于天年」的想法仍延續下來。只是「天年」由七十歲縮減成五十歲。換句話說，人能活五十歲，就可以在他的生日宴上寫著「大壽」兩個字，超越自由黨也願鼓勵性的頒贈「長命獎章」。又例如「祥兆」也一樣保留下來，我記得小時候，親族們都希望死亡的親友能有祥兆，刮風、下雨被認定不祥，風和日麗被認爲吉利，當然有時也不盡然，我的長兄曾告訴我，在古典社會時，有一位元首去逝，當夜風雨大作、雷電交迸，也許那也是一個祥兆。但不論如何，風和日麗的祥兆在現在的新社會是不可能了。浮塵和煙霧會遮擋美麗的陽光，變成不夠鮮明。因此我們仍覺得小惠的祖父在陽光日逝去也難得。小惠說：「我決定回鄉，你要跟我回去嗎？」我說：「我不知道是否該見妳的家人，他們會說我誘拐妳。」小惠嚴正地說：「如果他們不會說你誘拐我，你要去嗎？」我說：「要！」

由鄉路行車是一項頗為刺激的經驗，沒有高速公路的急馳，却是黑色而充滿瘟味。小惠堅持要看鄉間風光，我不好拒絕。

由北回歸岬角一出發，就遇到了一個個的哨站，這些哨站是垃圾搬運的哨站，我們在每一站要稍稍停下，等其他車輛依次慢慢通過。垃圾是太多了，有時我們被迫必須改道，這是長久發展的結果，臺灣的鄉村、城市一向都在競爭，最後當然是城市戰勝了鄉村，戰敗的後果是必須負擔所有的垃圾。從一九八五年伊始，無法處理的垃圾開始有堆積的現象，臺灣的的垃圾問題正是：無論如何處理，臺灣的垃圾還是在臺灣裏。由於幅員的狹小，很難妥善處理各大城市製造出的垃圾，東方的人生觀也不在乎垃圾的污染，事實上，一九八五年後，沒有一個統治政權想過解決辦法。一九九五年，垃圾大量堆積在靠山的鄉村，而後溢出鄉路，使通行和鄉村的衛生發生問題，人們隨便在鄉道旁選一個空地圍上巨型鐵絲網就開始堆積垃圾，它看起來如同鄉村的一個個小島，並伺機佔領整個鄉村。二〇〇〇年伊始，估計每個鄉鎮都有幾個巨大垃圾站，為了方便，都設在路邊，有時垃圾溢滿龐大的鐵絲網垃圾場而佔領路面，我們必須在哨站稍稍停下，等清潔工人把垃圾由馬路中間剷除到另一邊，有時太多的垃圾擋道，迫使我們必須改道。本來垃圾必須及時放火燒掉，才能免於外溢，但大多要看時候，如果鄉間的浮塵度較低，那麼正是焚燒的時候，但絕大多數沒有機會，在二〇〇〇年後，化學工廠遍佈鄉村和偏遠地區，它們的煙霧籠罩天空，如果勉強放火焚燒垃圾會發生奇怪的現象，首先燃燒不夠的濃煙會上升到高空，和化學工廠的煙霧發生爭戰。它們全都像是有生命的東西，會佔領空間，互不相讓。新蒸發的垃圾煙霧只好採取低姿態，差不多只能上升二十公尺，變成新的一層浮塵，或是罩落到四面八方的村落，如此一來會發生危機，因爲燃燒的垃圾把空氣中僅有的氧燃燒光了，二氧化碳使空氣溫度增高，植物會枯乾而死。最重要的是人，他們會立即因缺氧而產生呼吸困難、頭痛、嘔吐，結果迫使他們使用備氧，但氧氣很貴，使他們蒙受金錢的損失。有人統計，燃燒一次垃圾會使農人損失一月所得。但不燃燒也不盡然就有好處，隨著垃圾日益地氾濫，如果遇到下雨，垃圾就在高溫下開始冒著悶煙，這些悶煙挾著一種味道，擴散在鄉間，造成人們呼吸上的難過，在午夜時，人們有如睡在巨大的垃圾之夢裏，他們總是夢見自己腐化了，連同白骨也一起腐化掉了。有一年，垃圾的癘疫形成一種新的病，像鼠疫一般地橫掃中南部，迫使鄉村的人往城市逃難，一時之間，人們像腐化的泥土一樣地病著，尤以三、四月間陰雨連綿時爲然，當時只要三月、四月一到，鄉人就準備逃走，等時節過後再回來，農人稱三、四月爲「小新年」，可是沒有人爲將來擔心什麼。

最後車子不得不駛上公路，我們略感自由，在這個年代裏，沒有人不想駕著飛車急馳，這種欲望在高速公路上往往變得極端強烈，人們想冲天而起，擺脫環境的無聊，我和小惠看著一輛輛的車闖過我們的前頭去，這樣使我們有了一決雌雄的心意。但這樣的急馳也不全然是安全的。如今的車禍越來越多，除了有意的自殺外，主要的原因是天空的濃霧有時會降落，蓋住整條公路。有一次，我和公司的記者們在清晨出發由南部趕往北部，早晨的高速公路燈光還滴滴答答地閃爍，我們期望在高速公路上看一次日出的景色，但車行一個鐘頭時，却見到路燈越來越明亮，在北部的一個收費站，天空忽然全部都黑暗了，一片漆黑。我們以爲是午夜再度來臨，我提醒旁邊的朋友是不是我們的錶都對錯了。由於黯度越來越濃，我們只好停車，約半小時，公路的秩序壞極了，有幾個附近的地點發生車禍。這種奇異的現象事後被宣佈是一團黑色的濃霧所造成。原來是一片巨大的黑霧在夜間積聚在高速公路兩邊山區，帶有許多粒子的這片黑霧和早晨的水氣結合，伺機降落在高速公路上，把行車的視線遮住了。我們猜測是附近一家燃煤工廠的傑作，但沒有人願意去查證，我們只好把它當夢一樣保留在記憶裏。我和小惠把音響加大，傾聽低沉柔和的音樂——小惠的巴哈，感到忘世的痛快！

※

轉了一個交流道，車子滑進小惠的故鄉小鎮（如今的市鎮很難仍是寂居之所），小惠說小時候人們給這個鎮一個新名字「鈷鎮」。這名字很奇怪。小惠說這名字大約是用來紀念一九九五年臺灣鈷彈的製造成功，一家外國鈷彈精密武器工廠曾設在距市鎮十公里遠的海邊做試驗，人民在市鎮舉行慶祝大會，「這是了不起的鎮。」小惠微笑地說。

車子在小惠的四合院停下來。各地送來的花圈和輓聯溢滿庭院，趕來致哀的人都在頸上吊著紅色的花環，酒席一直迤邐到整條街，歡鬧的氣氛使鈷鎮活過來。如今的喪禮和我孩童的時候是大異其趣了。幼年時，就我的記憶所能理解，那時喪禮也許有趨向歡樂的傾向，但不論執政者和百姓都有保守傳統的觀念，通常他們並不追究人活在世界的意義，長久的東方家族觀使之輕視個人價值，東方習俗認爲人和草芥沒有兩樣，在土地上他長芽，活下去，死就挖坑埋掉。小孩生下來最重要的是看看它是男是女，男孩子叫璋，女孩子叫瓦，人死了，做一做祭，送他進陰間。一九八五年，這觀念不變，但却無論如何往惡劣的一面發展，那就是經濟改進帶來的變化。就如上述，不懂個人生命的價值是東方人的根深觀念，當西方虛無文明傳進來後，人們不明生命意義的傾向受到增強，本來已經認定「死」後烏有的想法深化，徹底變成無靈、無神、無善惡、無懲罰、無羞恥的生命觀。這種徹底的虛無觀和粗淺的表面孝順觀結合起來。於是當家族的長輩死掉，第二天就用大批的歌舞女郎在靈堂前大跳赤裸的舞蹈，我們很難想像如果死者不是色鬼，到底這些裸體的舞女會帶給他多少黃泉路的困擾。有時喪主會雇請大批裝扮的孝男孝女，沿路哭號，把整個鎮給哭成一個死亡的大湖，每次的死亡都是一次擾嚷。一九九〇年，喪禮又有新的突破，它變成一種遊戲和歌舞的綜合體，來自各地的趣味競賽加入其中，在喪主的家門口舉行社區性的趣味競賽，當然這也許是一種健康的表現，但有一樣競賽樂此不疲，那就是二隊人馬要抬著兩具數百斤的棺材越過一條橋而抵達終點，運動員當然常常受傷。「賓主盡歡」的喪禮原則到二〇〇〇年超越自由黨執政後又一大變，它在「喜喪規約」中表明一定要遵循「最大歡樂」的原則，不歡樂的要歡樂，歡樂的要更歡樂，那就是廢除喪事的悲情，完全改行類似婚禮的儀式，並且在未去世前半個月就要舉行歡宴。當然有時不免錯誤，因爲將死的人往往意外地在十五天後又活下來。何以超越自由黨要這樣做，沒人曉得。有一個外國的人類文化學家羅格在二〇〇〇年進入島內，他研究這種儀式，發現和薩摩亞羣島一帶的死亡儀式有共同的地方；他指出臺灣的死亡典禮完全類似原始民族的「驅逐死亡恐怖」的心理，因爲差不多八〇%的人死亡和呼吸道有關，比如肺癌病患，只要一個月不停地咳嗽咯血，人就必須死去，在一個月內，會驚動那些呼吸道有病的人，爲了免於不安感的傳染，肺癌患者被限制在家裏，在醫生宣佈藥石罔效時開始舉行喜宴，來掩飾死亡恐懼傳染給大家。羅格這位人類學家偷偷地發佈這消息給世界風俗雜誌，當局立刻用「永久驅逐」來抗議他的胡說八道。

我們一下車，迅速掠來一片喧囂，四合院裏人人都喜氣洋洋地談論著。有一些人向小惠打招呼，但遍找大廳廂房仍看不到小惠的父母。小惠找一個胸前別滿榮譽證的主事者，說：

「我母親、父親呢？」

「哦。」主事者說：「在後院的小房間裏。」

「爲什麼不在這兒？」

「上級來這兒督導。」

「督導什麼？」小惠不解地問。

「妳的父母總是哭，妳知道，當局是禁止在喪禮哭的，這樣有違善良風俗。」

「哦。」

我們即刻到後院，在我與小惠交往的幾年間，我也曾到過這兒幾次，並不覺得她的家的特殊，但由於這個喪禮，我眞的感到小惠的家是名門望族。在小房間，我們見到小惠的父母。他們先打量我一會兒，知道我是隨小惠回來的，本來有責備我們的意思，但悲傷使他們不願多說。

「要節哀呀，媽！」小惠安慰他們說：「祖父死了，沒什麼好哀傷的。」

但小惠的父母漱漱地流淚，他們說：「你們年輕人不了解我們。」

「祖父的遺體呢？我們要去看一下。」

「在大廳裏。」

於是我們又趕到前面的庭院來，這時更熱鬧了，法事正做得熱烈。如今法事固然類同以前，但意義略別。我聽過許多人說，在古典社會，人們的法事是在於引導死者的魂魄抵達神界，一切奠基在一種「中陰身」的理論上，祕術者認爲人死後四十九天，身體仍有感覺，就是他仍像活著的時候意識到自己的身體，只是比較矮小罷了。在四十九天之中他可以決定去到那裏，但必須接受試煉。法事是用來指導他的去路的。但如今法事的功用只簡化到引導死者的陰靈即刻離開臺灣或留在臺灣（在臺灣投胎）兩項。當一個人死之前，家人要詢問他的意向，有些人臨終時相信超越自由黨的話，咸信這兒是了不起的新社會，他們甚至願意生生世世都住這裏，那麼在喪禮之中，超越自由黨的象徵要一再被強調，但一部分的人總會有些不滿，特別是年紀大的人，也許是古典思想的作祟，總覺過去要比現在好，因此他們通常不想多待在新社會一秒鐘，那麼他們必須把遺體放在大廳，強調浮塵的禍害，叫他們的亡靈趕緊離開，並在裏頭燃燒松脂，濃濃的黑煙會逼迫亡靈更痛心臺灣社會，據說許多人都在濃濃的黑煙中看見亡靈冉冉升空的現象，雖然這種頹廢的作法是當局所禁止，但頑固的人相當多，當局只好睜一隻眼閉一隻眼。

近午時，歡送亡靈的人們都走到大廳的門口來，他們微笑地觀禮，把別緻的彩飾和塑膠花投擲進大廳裏，他們都向亡靈揮手祝賀，主其事者宣佈開始燃燒松脂，濃濃的煙由客廳釋放出來，蒸騰向浮塵的天空。這時的陽光好像特別捧場，由一塊破掉的積雲中探出頭來，使宅院四周的空間浮塵發出光芒。我們非常愉快地走上酒席，在鳴放第一聲禮砲後，大夥在濛濛的塵埃中開始吃午宴。

午後，喪禮的慶典展開。小惠的家人實際是費了一番力量才把周圍的街道垃圾清除乾淨。人們在街道的四周歌唱跳舞，電子琴車的歌舞閃光和趣味競賽的叫聲瞬間霸佔了整個市鎮。

黃昏，我和小惠驅車離開鈷鎮，在鎮郊，小惠忽然叫我停車，她指著一顆漂浮在天空中的氣球，那上頭赫然有著鮮紅的「廢墟警訊」標語，寫著：**危險！危險！危險！**……

而我們注意到天邊的彩雲，一片邪紅，如同被巨大的掃帚所掃蕩過。而巨大的風已浩浩地颳起來了。

※

我們在中部的旅舍過夜，由於不能預計颱風究竟何時離開，我們只好憑窗等待。以往的颱風所帶來的好處、壞處很難預料。事實上，許多人認爲颱風會帶給島嶼很大的益處，最起碼，空氣中的浮塵會在颶風時被吹刮得一乾二淨。有一個通常的現象是，在颱風過境後的一個星期內，因著天空的晴朗會成爲旅遊的佳日。但帶來的巨量的雨水會造成意外的損失。在一九八八年後，由於北市的地盤下陷，連次的大雨中，使盆地變成小小的湖泊；人們甚至被迫在二週之內乘著橡皮艇上班，然而最厲害的莫過於一九九五年以後各地的垃圾問題，在颶風過後，垃圾會流失漂走，垃圾好像有生命的東西，會轉移它的位置，滙集在低窪的地方，一九九六年，在北市南邊的一個社區，收入低的人在那兒落脚，在那年的颶風水災中，它奇怪地消失在地面，人們必須花費大批人力，剷開覆蓋的垃圾，才把社區從中「拯救」出來。跟著是太陽蒸發垃圾的水份，造成瘴氣的肆虐，瘴氣是一個十分麻煩的問題，實際上它帶著細菌在空中飛行，在颱風季節過後的幾個星期，病院的人數會增加，尤以皮膚病和肺病爲多。儘管如此，站在大多數人討厭浮塵的立場，我們喜歡颱風。

巨大的颱風在市鎮午夜時加大，出奇地猛烈。這是一個古老的城鎮，由斑剝的門窗和地板，我們判斷這旅舍也是相當的古老。我們站在窗邊，小惠被市鎮稠密的住家所吸引，由於靠近海邊，爲了預防海風，這兒的窗戶都比較小，人人門庭相當可愛，像是一個小小的窩，可以把人的一生都凝縮起來帶走。小惠說她喜歡細小而精巧的東西，大而無當的東西使人有受騙的感覺。我却注意到人口在市鎮的過分膨脹問題，在一九九九年，島上的人口已經增加一倍，現在至少接近四千萬，即使龐大的自殺人口都不能減低一點人口的壓力。在小時候，我到過這小鎮，它似乎是以古蹟聞名，人口極其稀少，而今人口稠密，我多麼懷念人口稀少

而各自爲政的社會……

在旅舍中，小惠爲我說一個故事，不論如何，她的故事是好的，那是美國作家奧亨利的一則旅舍故事，相當不幸的一對男女的故事，她的敍述感動了我。我們決定整夜不睡，點著蠟燭守夜。巨大的風咆哮地掠過小鎭上頭，拆掉了招牌，捲走走道重物，發出一種類似拖駁的絞鏈聲，人們在午夜起來巡視屋宇，混雜成一種恐懼的氣氛，在深夜，我們又放棄守夜，我們談到颶風後也許該去旅行，或赤足在南方的海灘走一趟。於是我們鑽進被裏說晚安，沉沉睡去。

隔天醒來，風仍有餘威，人們已開始整修東西，好個杯盤狼籍的市鎭。等到下午，趁風已停，我們告別颶風的小鎭。

我們選擇大馬路，認眞奔跑。在近黃昏時，太陽果然在颶風後第一次露了臉，神奇的鄉間景致在這時就顯露出來了，空氣的浮塵不見了，殘餘的植物乾淨蒼翠，很能令人想到失去的童年時的鄉情。但當我們即將抵達北回歸岬角時，我在公路上看到衆多的車輛往北方急馳，他們似乎是很緊急地在做什麼。

「啊，妳看，那車裏一定躺著災難的人們。」我開玩笑地對小惠說：「風災一定給他們吃了苦頭。」

「你總是神經過敏。」小惠說：「如果車裏的是，我們也是。」車繞過岬角一周，我在製作組的大樓前停下來，和製作組的人打招呼，我告訴他們我回來了。

林山匆匆地由樓上跑下來，他說：「信夫，事鬧大了，颱風使南方恒鎮11號核廠輻射外洩，人們恐慌不已。那兒的人打電話來，至少有二千人已經喪生。」

「你說什麼？」

※

在深夜，我們齊集於會議廳，這不是開會，而是涉及生命安全的問題。我們在決定，電視公司的人員要不要即刻離開岬角。天殺的，那座核射外洩的核廠距我們只有五十公里。現在包括黨書記郭明福都來了。他在等黨部的指示。核廠是一個老問題了。在一九九〇年時，島上的核能發電廠已至少完成十座，往後繼續增加。自從核廠在沿海連續地被建造起來後，起初並不嚴重地發生什麼，但後來被發覺島上的放射線激增，當局認爲放射單位量增加與世界的核爆有關，是世界共通現象，無關核廠。出售核廠設備的外國公司連次頒獎給臺灣，宣稱它是世界上最偉大的「核電王國」，有一位好心的外國科技評論家說臺灣是核科學的聖地，像上帝的榮光一樣把核光顯示給世界的人類看，他說臺灣的人都是林白，正在做類如飛越大西洋的壯舉，林白的成功只是林白一人的榮耀，而核電的成功則是所有臺灣人的榮耀（當然，如果林白掉到大西洋去，臺灣人民通通掉進去），執政黨立刻報導這種榮讚。但每次的颱風和地震時，核電單位必須相當注意它的危險。一九九三年，一次地震，使西海岸E廠產生傾斜，這個廠立刻停機，造成舉世的震驚，但當局穩如泰山，譏笑世界各國的大驚小怪。但自一九九三年後，若干專家不得不指出各電廠的弊病，並擔心臺島將毀之一旦。他們說執政者等於是在臺灣四周埋設十數顆原子彈，他們要求停止發電，並發動示威，但他們立即遭到處罰。執政者和大部分人民承認這些人無所事事，混淆視聽，並認爲核射線無害人類。有一位大學的理化教授發表一本册子，他認爲人人有核子射線的「抵抗力」，換句話說人對核子射線不會束手無策，它甚至說輕微的核射線對人是有用的，他引用一段物理實驗的資料說：「一種新問世的供豬和雞食用的催肥劑，已經用放射性做過實驗，把這種藥物給豬吃了以後，可以減慢甲狀線的功用，使它們在相同的食量下，生長得又快又肥。」所以人若略受一些感染，可以創造若干特殊的人種，在世界中獨一無二。百姓立即相信他。這個人立刻被任命爲新一代物理學的權威。但危機愈來愈明顯，一九九五年有一次核心融化的記錄，二千人受感染而死亡，但這種「損失」微不足道，人們不怕，因爲從核廠的建造到一九九五年有二十年時間，二十年只死去二千人是值得的，至少自殺人口每年都不只此數，情況樂觀，但河川的死滅和海上的漂流物很嚴重，海上垃圾常使海邊的核廠停機，結果二〇〇〇年卻是一次地震造成核射外洩，使二十萬人喪生，使臺灣急速朝廢墟的世界奔馳而去。而這次的核外洩是超越自由黨執政後的第一次，是颶風撼動核廠造成的結果，我們得到的新聞是：靠近核廠的人悉數被消滅了。估計有二千人。

「這也可能是謊話。」黨書記郭明福極力安頓大家說：「沒這麼嚴重！」

「我們究竟要不要離開。」導播說：「我們如果逃走也許已經太慢，說不定明天我忽然已死亡，但不逃走，只是更糟。」

大廳的爭執相當厲害。午夜，我們接到上級指示，留在岬角，因爲萬一我們撤走，會驚動岬角的百姓，引起不安。

我和小惠回到宿舍，不知道我們是否已受到核射感染。午夜的岬角多麼寂靜啊。沒有月光的海洋一片闃暗，颱風後的海潮發出轟然的沖擊聲，緊張的氣氛透過長久培養的懨懨情緒，使人如同置身在即將爆炸的大墳墓中，小惠哭泣起來，她緊緊地抱著我說：「信夫，我已不再考慮什麼。在我死之前，我要和你結婚。」

10. 4月 日

太陽教會的巡廻佈道日到了，他們同時也爲大批的情侶證婚。岬角的牧師王天啓和我取得連繫，要在佈道日爲他們做錄影，同時我和小惠在這兒舉行婚儀。

如今看來，島上的宗教更趨於簡明單一了。在我幼年的時候，似乎有著各式各樣的宗教。至少在當時，佛教是一大力量，道教儘管稀有，但仍有人信奉，基督教和民間佛教盛行全島，一九八五年後，宗教的力量一度強大，但都在屢次的抑教時遭到傷害。難以計數的宗教管束法限制了教會的各別發展，高級的宗教遭到最嚴厲的處罰。一九九五年，基督教的統一運動由半官方的李約翰發起，瀕臨滅絕的小教會只好全部轉向歸併到李約翰的統一教會去。二〇〇二年，李約翰突然猝死，由李聖智博士指揮，更名爲「太陽教會」，「不」字和「十」字共同出現在祈禱堂前。太陽教會的教堂遍佈全島，信徒五十萬人以上。佛教則在一九九八年遭到全面地禁制，主要是佛教的消極思想和疏離社會使每個政權感到苦惱，各地的寺廟都遭沒收，僧尼還俗，在二〇〇〇年廢墟撲擊後，一個涅槃和尚曾想挽回佛教的式微，創立一種「無教產、無寺院、無集會」的涅槃教，主張有人的地方就可以普承佛佑，他的經典是涅槃一系的法典，信徒弟子都是居士，信條是少吃、少聽、少看、少呼吸，極其奉行素樸準則，並且帶有與佛陀同時的印度耆那教味道，主張人可以自行提早圓寂。超越自由黨立即注意到這個教派的發展，當他們發現「提早圓寂」實在等於鼓勵自殺時，即刻逮捕涅槃和尙，涅槃教一時歸於沉寂，轉入地下。太陽教會一派獨大，李聖智立刻宣佈聖寵已降臨東方島嶼，他認爲超越自由黨其實是上帝從事祂偉大計劃的一部分，具體說超越自由黨乃是力行上帝的旨意，使上帝的城在人間建構起來。新社會就是上帝的城。但事實上，李聖智並沒有能力全部控制基督教，「迦南教會」——一個開明派知識分子組成的半公開團體否認新社會就是上帝的國，他們認爲新社會仍要改造，包括超越自由黨和基督教徒都要力求改造這一充滿危機的新社會。而另一個「幽谷教會」則崛起於下層社會，他們斷然否認太陽教會的理論，直接指稱臺灣就是煉獄，他們需要的是激烈的呼號和祈禱，掙扎地走向天國，由於他們激烈尋求解脫的特質，在各地都潛伏著信徒，人數難以估計，並和殘餘的涅槃教互通聲氣。

爲了報答人們的虔誠，上帝特別開恩，今天岬角的天氣好一點。我和小惠趕到太陽教堂的前面來時，這兒的高地早已圍了大批的信徒和即將結婚的新人。

辛大夫和辛太太也來了，辛太太正是太陽教會的信徒。這是岬角最高的地點，由這兒可以俯視最遠的海面，而岬角的景致盡呈眼底。這個教堂看來別致古老，信徒說在荷蘭的統治時期，有一個外國的神父就開始在這岬角的頂端建教堂，經過一再的變遷，現在的教堂看起來是一個半圓的長方體房屋，差不多有一百坪的面積，四周高高低低地種了變葉樹和燈籠花，一個十字架立在屋頂上，整個看起來像一座美麗的墳墓，和岬角的海洋相映，有一種向世界告別的味道。由於婚禮和佈道的舉行，岬角的人都前來觀看，大半是信徒。如今看來，人們是多麼需要宗教，我常憶起，當我更年輕時，因爲虛無思想的迫害，使我和大學的同學有了短暫尋求宗教的衝動，那時曾待在修道院靜修，我們喜歡和修士攀談，而猜測著墾荒的神父何以願意浪費他的生命在一片荒廢的土地上。

王天啓牧師由教堂走出來招呼衆人，他一路告誡他的信徒，要吃得飽、穿得好，像他一樣，不應該想無益的事情，他抱了小孩就往臉頰親。在很多方面看來，他也是太陽教會的高層人員，鼻子尖、大眼、高個子，很有異國的味道，他的聲音宏亮，我常向他請教教理，他的聖經素養很好，到岬角當牧師是他的志願，雖然側身太陽教會，但他不認爲爭論新社會是不是天國有什麼用處，他是眞的修道者，他同意我對他教堂的評語——美麗的墳墓。他很快地走到辛大夫和辛太太的身邊，辛太太告訴他，她昨日又見到異象，她抱著聖經神經質地去翻啓示錄，因爲她顯然夢到女人和戾龍，印象鮮明。王天啓非常驚奇，他說：「情況怎樣了？」她說：「糟透了。」王牧師說：「爲什麼？」她說：「我覺得我正是那女人。」王天啓又露出一陣驚訝說：「眞是奇蹟，但不論怎麼說，戾龍不是吃不了女人的嗎？」辛太太說：「正相反，那女人被戾龍吃了。」而後她哭起來。辛大夫很生氣，他拉開了辛太太，歉歉然地說：「對不起呀，牧師，你知道內人……」王天啓說：「哪裏，尊夫人是有神驗的人呀。」他在胸前劃十字，安慰辛太太說：「如果妳眞是見到神，是什麼也看不見的，既沒有戾龍也沒有女人，上帝超越我們的感官經驗。」辛太太點頭，露出寬慰的表情。

我選了一個比較能俯視全景的位置，安放好錄影機。因爲浮塵常使陽光不明晰，我須要在光圈上做一點功夫。墳墓式的教堂門口，擺滿了鮮花，對著整個岬角的風光，令人想起山上寶訓。

午時，一輛大型的遊覽車停在山坡底下，跟隨著一大羣的人走上來，約有幾十人，王天啓下去迎接他們。教友和準備證婚的新人的親屬開始忙碌起來。

佈道會的主講者走上了階梯，這時我們才恍然大悟，原來主持者是常出現在螢光幕上的太陽教會的佈道家道益弘博士，大約有五十歲，他的個子相當高悍，有一雙揮舞的巨大手掌，骨節暴大，鼻尖而眼眸銳利，在螢光幕上他常使用化妝，我們甚至很難分辨他是男是女，有時他把眉目都畫得模糊不清，好像戴假面具，最奇怪的是他常化妝成古代的戰士，穿著甲冑佈道，他自稱是上帝之國——新社會的戰士，但我們不明白戰士和基督到底是不是毫不相悖，可是人們往往被他的噱頭唬住了。今天他看來比較正常，只是沒有眉毛，神采飛揚。各地展開的太陽教佈道大會顯然沒有使他感到疲倦，據說在北部都會的一次佈道，整整有二萬人站在骯髒的雨霧中聽他闡明上帝之國的道理，並造成無數信徒的歇斯底里和死亡。

佈道開始，他在這個小規模的岬角區講壇下允許人們先問他問題。這兒的大半信徒都是二〇〇〇年以後新加入的成員，教齡不長，提出的問題很「幼稚」。有一個害肺病的女人直接地問：為什麼太陽教的上帝使她患了肺病。道益弘博士說，那是她有罪。有一個青年說，上帝既然愛世人，為什麼我們從來很少人能見到祂，並且我們將往何處尋找祂。道益弘博士說：「你已見到了，這兒就是祂的國。」另外有一個相當直接的問題是一個清潔工人所提出來的，我以為他們的問答相當好：

清潔工人：「你說這兒是天堂嗎？」

道益弘博士：「這是事實。」

清潔工人：「天堂為什麼要這麼多的垃圾，而且我認為天堂裡沒有一個海岸完全是油污，而河水是汞，並且您認為天堂有天空嗎？」

道益弘博士：「我想有。」

清潔工人：「天堂的天空也常飄濃霧嗎？」

道益弘博士：「天堂不在於外而在於內。」

清潔工人：「你說『外』『內』是什麼意思？」

道益弘博士：「外就是環境，內就是內心。天堂恒存內心，外在多少有憾，但如果我們不責備外在，而求取內在，保持內心的安祥與和平。接受一切，那就是天堂，耶穌說……」

清潔工人：「我要求取安祥和平是不可能的。您知道嗎？我每天要在垃圾場工作，我知道一切都會腐爛掉，並且您認爲天堂也有核子發電廠及核射外洩？」

道益弘博士：「我拿您沒辦法，你彷彿很不安、很不安。」

清潔工人：「我眞的不安，我也會腐爛掉。」

道益弘博士：「所以你必須信上帝，你常和王天啓牧師討論聖經的道理？」

佈道的工作人員正式地把準備好的巨大標語掛起來，插上三面旗子，迎風招揚，一面劃有類如十字軍的「十」字記號，一面則是劃有「不」字的紅底黑字的黨旗，道益弘博士懇切地登上「墳墓」的大講臺，開始「天國就在眼前」的講題。他說一切超越自由黨的訓示都是神的旨意，如果在天堂裏還有人自覺不滿，那麼他可能就爲墮落準備好了條件。沒有任何的地方會比新社會好，這兒的教徒只要放鬆自己，平平靜靜地接受一切，就是接受神的恩典。十年的光陰證明新社會是要成立起來的，神造就這一切。一個信徒被抓來做見證：

道益弘博士：「你滿意天國的降臨嗎？」

信徒：「非常滿意。」

道益弘博士：「你饑餓過嗎？」

信徒：「新社會沒有饑餓。」

道益弘博士：「你缺乏什麼嗎？」

信徒：「沒有缺乏。」

道益弘博士：「你恐懼什麼？」

信徒：「只有一點點。」

道益弘博士：「你可以公開表白。」

信徒：「也許會有瘟病，也許壽命縮短十年，也許做惡夢。」

道益弘博士：「你說怕死嗎？」

信徒：「正是如此。」

道益弘博士：「這就是上帝的旨意。上帝保留一點點的東西叫人怕死而不致叫人自殺。」

道益弘博士開始提示自殺的罪。他認爲自殺是一種對神的冒瀆，何以故？自殺是不被上帝允許的。人如果不能忍受現在的天堂，他就不可能再生於任何天堂。他認爲一九八五年以來，日益增長的自殺率事實上使上帝震怒了，那是新社會有魔鬼搗蛋，一切都像聖經上的記載，起先撒旦和上帝住在一起，而後顚覆和破壞。道益弘博士說伽南教和幽谷教是魔鬼。道益弘要大家和他一齊呼喊：

「伽南教和幽谷教滾到地獄去！」

「滾到地獄去!!」

所有的人都跟著喊。

「滾到地獄去！」

整整二小時，道益弘博士的精神煥發。

在午時後，證婚開始，所有的人列在兩旁，前去接受神的祝福。司琴開始演奏聖樂。我和小惠站在教堂最頂端，她的婚紗在海風吹拂中多麼飄逸。她在背後環腰地抱住我，而教堂的鐘響起來了。

11.

4月 日

小惠似乎忘記了要逃離這個島的曖昧想法。我在她的剪報上偷偷看到有關逃出島外的那位外交官的下場。超越自由黨把他暗殺了，而島內的血親在一夜之間失踪。當我和小惠討論這問題的時候，小惠強烈地罵著超越自由黨，她說一個樊籠的社會已使人生不如死，而無理的謀殺則使人如入鍋鑊，她說：「攝影家，如果我們能死在一起，已經很幸運了。」而林山決定停止他的渦流街報導，至於全島的城市，正陷入鼠患的苦戰中。

核線外洩的事可鬧大了。第二次的廢墟警訊傳單立即擴散全島、沿街拋灑。沒有署名的警告使人覺得全島都在反對，超越自由黨的行動迅速，立刻從事認爲可以疏解焦慮的措施，疏解的箭頭指向反對派的知識分子，它允許召開商議大會，地點在高市的憲政大廳。

這是一件大事。由於自一九八五年以來，知識界被看管得很好，底層社會譏諷他們是麻醉豬，大半的知識分子和政權都妥協得很好，對於社會的不滿通常不做過度的反應。事實上知識分子不是完全不管事的，一九八〇年以來，知識分子似乎都做過更大的奮鬪，但每一次都增添一些無力感，到一九九〇年，九八%的知識分子都學會了一套妥協的技術，他們半抱琵琶半遮面，一面做小批評卻一面示好，結果養成一種被豢養的心態，他們小心翼翼，唯恐禍及自身。到了二〇〇〇年，這批知識分子形成一個固定的階級，幾乎每個人同時目睹新社會的弊病，又目睹超越自己的恐怖，又目睹自由黨的利益，變成一頭三足怪物，躊躇不前。

這次的商議大會由伽南教會帶頭，會合北、中、南的知識界反對者和超越自由黨溝通。他們至少經過一番申請才被允許在憲政大廳舉行公開會談。林山和我得到特殊的記者證，才能進入會場。

憲政大廳是一棟封閉將近十二年的建築物。自從一九八〇年以來，政治體制的問題常被提及，時而行憲、時而戒嚴的混亂政治使人民不知所措，在一九九八年，執政者彷彿有了開明的傾向，準備全面行憲，引起知識界的共鳴，立即在高市建了一幢巨大的憲政大廳，試圖成立開明的國會，但廢墟撲擊後，超越自由黨掌權，第一步就是停掉一切院會，憲法和戒嚴一概取消。由黨魁兼任所有部會的部長，組織超越自由黨的最高治事堂，新法取代舊法，命令成了法律，全島設有十六種法庭來裁決各種糾紛，法庭並推至基層，由鄉鎮的法庭來審判鄉鎮民，大半一審決定制，所做的事快而有效。在各法庭和警政機關配備鎮暴車，隨時待命。在這種條件下，還能召開商議大會顯然是知識分子最後的掙扎。我們抵達憲政大廳，人山人海。但鎮暴的部隊也停留在每個路口，警察林立。我彷彿感到南部的人們在最近的五年裏表現得要好於北部，那不是南部的人有熱情，而是環境使然。一九九○年後，北市的盆地遭受的災害包括了空氣污染、大水、垃圾，造成人口大量死亡，一次又一次想改善環境的企圖都遭彈壓，人們轉成絕望，二○○○年廢墟的撲擊喪失生存勇氣，所謂的自殺率昇高，大半要歸咎於北部，雖然超越自由黨的反自殺計劃積極推行，但成效甚微。而南部則情況好些。

早晨九點正，憲政大廳展開商討會，超越自由黨特別開恩，允許許多的記者參加，這個大廳巨大而冰凉，由大理石建築而成，典型的國會擺設，但現在議員座位一個人也沒有，牆邊像森林一樣地插滿「不」字的黑字旗。幾千個市民都被擋在浮塵漫天的建築外面。長方型的巨大桌子就在議事壇上，超越自由黨的代表們都穿著形式一致的黑西裝、黑得發亮的皮靴、黑而齊整的領帶、黑色的髮式，他們的黑色使憲政大廳有一種被石塊壓住的感覺。而迦南教會和與會的知識分子面對他們。

他們談論的主題是「如何才是理想的生活？」、「我們還能做什麼？」，所有的知識分子，據古典時代的專家的意見，都認為他們是時代的代言人，但我們的新社會已經全面理解，他們全是夸夸之言者，只是逞口舌的東西。在古典社會，這是平常的現象，當有人譏諷他們無用時，他們就說別人是反智論，他們自認崇尚人道和理性，但對非人道和非理性的統治者卻盡量說話美化它。「如何才是理想的生活？」、「我們還能做什麼？」，這是老問題了，實在會令人反胃和大笑的題目，但顯然知道論題的人民還樂於徘徊在廳外傾聽隻字片語，大概他們對這些知識分子開口談話表示新鮮與好奇。

對談開始，迦南教會的人立卽提出他們對新社會的反對理由，他們說：在基本上，迦南教會認爲人有權活在類如水晶的世界裏，執政者應該使一切都變成水晶。他們說如果垃圾都像水晶，巨大的樓房都像水晶，食品都像水晶，人也像水晶，一切光明又潔淨，那麼他們承認太陽教會所說的一切，但超越自由黨做不到，情形倒類如幽谷教會所說的，超越自由黨是否應該感到羞愧。超越自由黨的人員站起來回答他們：沒有哪一個人可以使目前的環境變得更好，目前的環境是半世紀來臺灣居民創造的結果，如果臺灣的人民全都是羊，那麼現在的環境不折不扣是羊們創造出來的羊的樂園，別的生物也創造不出來，那麼除了羊們用現實的態度去接受外，又能怎樣。北部的一個知識分子站起來，他的頭垂向地面，十分艱困地思索著說：超越自由黨沒有一套完善的改革策略。超越自由黨的代表裏顯然有許多菁英，他們承認這一個缺點，但他們也承認續絕半世紀的臺灣政經制度是他們的任務，他們只是維持它，但不一定能改變它。超越自由黨的代表說：①人口的壓力沒有人能解決，四千萬人口使一切都產生問題；②能源的缺乏必須仰賴核電，不能廢棄它；③土地的狹小使環境必不可免地破壞殆盡；④文化的發展和創生使臺灣人民變成「可愛的野蠻」也是必然。超越自由黨的代表反問北部的知識分子說，如果政局由他們控制，他們有沒有自信維持住這種安定，更不要說改善了。北部的知識分子吱唔其辭，大談觀點和不必然，但沒有人有力地說：「該換政權！」一個中部的知識分子站起來，他兩眼空茫，望向前方，提出特權問題，他說眞眞正正生活在水晶世界的人都是特權，他們擁有好環境，至少擁有大量的氧氣，壽命都比較長，一切都好，肺癌和自殺的人都是在街頭奔走的人。超越自由黨認爲這一點是老生常談，他們也認爲特權是半世紀或更久的歷史累積下來的產物，如果歷史有反特權運動，那麼今天的特權就是殘餘的結果，超越自由黨的特權不多，它對任何人都一樣，逃走的人一律暗殺，犯禁的人一律處罰，更何況在二〇一〇年的世界裏，有哪一個社會能自外於特權社會，超越自由黨也是台灣的一分子，它沒有高抬自己的意念，如果台灣人民是羊，超越自由黨沒有狼的意圖，它也是一羣維持秩序的羊，恰恰沒有什麼珍貴和神秘。南部的一個知識分子則把臉抬向空中，他抗議浮塵風暴和廢墟村的增加，他表示如果北市被困在一個骯髒的大水湖，那麼南部的人將被迫進入塵埃和廢墟坑中死掉，他們要求環境改善，並且要有實績，如果不立卽做，恐怕人們態度要轉向激烈，暴力就會因第二次廢墟撲擊的逼近而發生。超越自由黨立刻分點反斥，他們說：①人要生活，這是首要的事實，臺灣必須更多廉價的工業才能維持四千萬人的生活，人爲了生活就必須負擔，如同歐美負擔世界大戰及核戰毀滅，而亞、非、拉負擔抗爭、疾病、貧困與死亡。臺灣的負擔是合理的，浮塵風暴可以在家裏渡過，廢墟村則不去。如是而已。②二度的廢墟撲擊來臨是不可能的，超越自由黨比其他的政黨更有經驗來應付危機，他們有專家，包括出售核子發電廠給台灣的美國西屋、通用、貝泰、奇異……各公司的專技人員，核能發電廠的安全穩如盤石。③暴力是不被一個安祥、溫和的社會所允許的。如果有人使用暴力，那麼超越自由黨會教他知道什麼是眞眞正正的暴力。

……

他們的談話冗長而無趣。

正午我們走出憲政大廳，所有的居民都逡巡在迴廊和街上，他們各自向著茫茫的方向，彳亍而行。而太陽和浮塵各在天空。

12.

5月　日

我必須採取激烈的手段抗議辛克勤對小孩的管教。小偉被辛克勤反鎖在房間裏，辛克勤警告他，如果他不遵循「正常人」的生活去過活，老是自己發明一些新花樣，那麼他就會常遭到這種禁閉。辛太太哭著跑來告訴我和小惠。於是在他的家裏，我和他激烈地吵起來。

首先我說，他並不理解小偉，小偉幾乎沒有什麼錯，而且聰明過人，辛克勤立即說小偉和他的母親是一個樣的模子，是徹底違反生物學的人類。我說我不明白辛太太是什麼狀態，但如果是小偉，我他媽的願意有這樣的孩子。我警告他，我是一個天生的祖護者，假如我一旦維護小孩，是不考慮他父母的。辛克勤警告我管他的家務事。我說：「我正是他媽的如此！」我們的額頭在五月的天氣中冒汗，林山跑來解圍。我被判勝利，小偉和我們住一段時間。

我把小偉叫到我們的屋子裏，我知道他最近在注意九大行星，他甚至知道研究冥王星之外是否尚有一顆星，我相信他需要一份星空的圖表和一副望遠鏡。小偉很高興，但願浮塵不要使這小孩對星空喪失興趣。

小惠望著我，她盯了我好半天，說：「攝影家，你眞的那麼喜歡小孩？」我說：「我就是那麼喜歡小孩。」小惠沉思了一陣子，說：「這是我從沒有發現的。」

林山背起了袋子，他表示我們該動身，這又是一個大新聞，電視臺特別指令我動身，在採訪的地點有人接應。

事情是這樣的：由於核射線的外洩撼動了下層社會，並波及各階層，終於使幽谷教會採取行動，幽谷教會的南部負責李灼人宣稱核射線不是使二千人死亡，而是二萬人，絕大多數是幽谷教和涅槃教的信徒。他認爲審判的日子來了，最後的一日人們將不會安安靜靜地死去，而是一陣的哭哭啼啼。他們的行動是進入深山，完全避開即將來臨的二度廢墟撲擊。

在海拔一千公尺的南部山隘，我和工作人員抵達了那兒，較少的浮塵使山的林木蒼綠，這顯然是一個很險要的山口，兩座的山巒在這兒對峙。中間露出丈深的溝澗，人們可以經由一條少人通行的半報廢的吊橋渡過對面的高山，我們絕對可以相信，進入對面高山，超越自由黨將很難掌握這羣人的行動，而這山區的管制是超越自由黨極其神秘的管制山口。

我們抵達那兒，才知道事情的演變不可收拾。

首先我們沒想到，在進入這個軍事山口上，今天會齊聚那麼多和幽谷教會有關的人民，也就是說想放棄這個新社會的人竟是這麼多。一批批的，背著簡單的工具，沒有什麼裝備的人準備遠離他們的家園、遁入不可知的山中。其次就是在山口，超越自由黨的黑色黨軍擋道，他們的鐵絲網和拒馬封鎖了吊橋的通行。

談判立卽開始。

我由攝影鏡頭上看到超越自由黨的南區警備軍長，大約五十歲，禿頂，但並不是仁慈的那種禿頂，他有力地走向幽谷教的信徒羣這邊來。李灼人代表出來應話，他大約中年，穿著簡便的襯衫，臉色氣憤。

「我勸你們回去。」

「爲什麼？我們有我們的行動自由。」李灼人說。

「自由要守法律。這山路不通行了。」

「本來不是可以通行的嗎？」

「現在不通行了。」

「誰說不通行。」

「昨天的命令說。」

「說行是你們，不行也是你們。總之要不要通行都是你們說的，你們要入山證，要登記手續，要查驗身份。但現在要不要通行是由我們決定了。我們不相信這些破鐵絲網有什麼用？」

李灼人說。

發生大規模入山，無論怎麼說在島上是稀有的，一九八五年後，曾有數次教徒的入山企圖，但絕不是爲逃避文明，而且總結地看來，沒有一次教徒入山是成功的，大半堅持一陣子就歸於沉寂，相較於這次是微不足道的。儘管如此，這次的入山人士却有增加的趨勢，我相信這是逐漸增長的自棄意識所導致。表面上，迭次的政權伸展它如鐵的律令意圖強壓人民於社會的組織中，但脫離社會的人民意念越來越盛，終於有幽谷教會和湼槃教的極端行爲，但儘管「極端」，這種觀念就是現在島民眞正的人生觀，它主宰著人民的思想，造成極高的自殺率。這似乎是很顯然的事實。

由上午到正午，隨著日頭東昇，幽谷教的信徒愈來愈多，差不多有四千人坐滿了山口，他們無視於後果，而軍隊也愈來愈多。

正午，他們又一次談判。

「請你撤去這些障礙。」李灼人走到警長的前面說。

「那是辦不到的。」

李灼人的態度堅決，他說完走向教徒，於是教徒把棕櫚葉擧高。

軍長立刻下命，隘口上的山兩邊立刻出現兩挺機槍。

事情完全僵住了。

一點二十分，談判又開始，軍長表示不在乎槍殺反叛份子，但他不希望血流溝壑。

「你們到底為什麼呢？」

「我們已不相信活在島嶼是有意義的，這一切都將證明你們的懦弱和欺騙，現在我們要通過了。」

幽谷教會的人士立即湧向隘口去拆鐵絲網。

於是機槍開火了。跳過鐵絲網的人立刻在槍林彈雨中喪生。

「不要停止。」李灼人叫著：「衝過去呀！」

第二波的人又越過鐵絲網，於是「碰碰碰」的槍聲又響起，子彈擊在人體上，好像一把利刃，很快地把人切成兩半，有些槍彈把人的肢體打得支離破碎，一個女人被槍彈轟向幾丈外的對面山崖，死了。而大半的（在我的鏡頭可能攝到的部份），都是為了躲避槍彈而跳進深谷裏。那深谷有一種草木和溪水的沁涼升到上面來，白色的水泡嘩嘩地流。但仍有部份的人越過機槍的封鎖網，逃向山林的方向。

我們在驚駭中，不禁向後撤退到一個較隱蔽的地方，在震天價響的重機槍響聲中，每一顆子彈都好像打到山谷中心而爆炸開來。這些人都完了，我們可以猜到，溪谷底下一定摔滿了屍首。

幽谷教會的李灼人立卽被逮捕。

我們回到岬角時已過了中午。我和林山及工作人員都默然不語，如今沒有人對這種事感到興味或激動。殺人與被殺都是理所當然的行爲，流血不流血只是一件單純的事。我有些懷念舊日時代含蓄的行爲。在我就讀大學的時代，不論怎麼說對殘殺的行爲是愼重的，我在世界各地的電視和電影記錄中看過許多血腥的場面。有一種「俄羅斯輪盤」的賭命行爲被電影強調過，人們用腦袋來下賭注，那時的人，不論如何，對「生命」似乎有一種過分重視的感覺。他們小心翼翼地護衛著生命。甚至在前世紀中期，有一位「人道」的醫生提出「尊重生命」的口號，所有的世界性獎牌都掛在他身上，想來也眞是奇怪。我們在工作坊裏整理帶子，新聞部好像十分火急，他們表示，在今天晚上超越自由黨要把這段懲罰性的影片播出去，以告誡所有的百姓，不可超過一定的界線，要維持一定的秩序才行。我們很快地把帶子送到輸送部。輸送部的經理說：「信夫，小林，你們參與了這件大事，今天連同這捲錄影和李灼人的審判經過，我們要製作一個歡樂的歌舞節目，收視率會很高，公司會給你們酬勞。」

我想去冲涼，和林山駕車離開岬角去市內喝啤酒，有關電視播出的李灼人被審訊、槍斃的過程，我記錄如下：

①審訊

地點：叛亂罪法庭

時間：不明

這是一個我們都很熟悉的法庭。圓形的封閉大室。法官六個人，黑色制服。紅色的桌子紅色的地氈。燈光很亮。李灼人坐在一張黑色的椅上，他的眼睛在鏡頭出現過兩次，流動而熾烈，他說了答辯，法官做總結：你叛亂！

李灼人激動地站起來，但又坐下，審判室靜寂相當長的時間，最後他站起來去接一張單子。

螢光幕上打著：**死刑！**

②執行

地點：明德一號執行場

時間：不明

一個很大的廣場（我們所熟悉的），用沙鋪成的地面，鏡頭上看起來像小沙漠。很難斷定是自然的光或燈光。李灼人站在黃沙上。黑色的劊子手站成一列。一列的自動步槍，一個噴火器。他們一齊開槍，把李灼人打到十公尺之外，巨大的火光立即把他的屍體燒掉。

螢光幕上打著：**該死！**

6月 日

13.

陳瑪麗再度光臨岬角。

我和小惠、小偉在晨間沙灘散步回來，她輕輕地踩著沙土，敍說她這一年來的感想，她說眞是親臨一場噩夢，但她不願多想，她寧願想著她現在是在另一個地方，像是古叢林或任何有著始初人類眞情的地方，她寧願爲最平凡的人畫一幅花鳥，或爲他們做救濟。小惠的感想很好，我告訴她，她仍可以離開這個島。但小惠說：「現在我不想了，如果離開這個島，誰照顧你呢？」小偉則告訴我海裏的生物和造化，他說人怎可以妨礙魚類的生活，人類和魚類「本來」是一樣的，後來進入魚身體的就變成魚，進入人身體的就變成人，我被小偉的話感動。我們又在水上樂園逛一圈。而後我坦白地告訴小惠，今天我必須去見陳瑪麗，她最近又要在南部演唱，而在北回歸也要拍節目。她遵循慣例要我陪她在市內逛逛。小惠很快地說：「攝影家，你覺得我是一個小器的婦人嗎？」哦，不！絕不！

陳瑪麗在二號攝影場等我。她是很野的女人，慣常燙著滿頭飛揚的髮，穿著火紅的衣服，她的體態高大，但酒窩很迷人，笑起來露出一種少女的甜甜羞澀，我相信這是她迷人的秘密。

她果然揹著一副相機，十足攝影專家的模樣，我還沒走到她面前，她迎過來，抱著我的手，要我坐在她金色的跑車上面。她表示無論如何，她要爲我的受傷表示一點慰問，她要使我「盡興而歸」。

「你的傷還好嗎？」她一面開車一面狂放地拍著我的腿。

「還好呀，陳瑪麗。」我注視著醜陋的街景掠過眼簾，有一種死亡的味道，我沉浸在一種末日的解脫。

「喂，攝影家，你看我現在是不是漂亮得多。」她去掠開髮，側著臉睨著我，說：「如果漂亮，你要直說，不許說謊。」

「唔，當然，但妳的上衣爲什麼不扣釦子。」

她笑起來了，多麼媚人。

我差不多和陳瑪麗認識了半年，駕車出去好幾次。我相信她一定覺得我是她的知己。我們都缺乏自信心，雖然事業勉強順利，但對自己不敢多存期待。陳瑪麗有一次很坦白地告訴我，她在一個破落戶出生，破落到使她小時不敢相信自己是有「家」的小孩。一切都在告訴她，生存只是一種痛苦，而皮肉之痛不算什麼。她說她在一九八五年出生，二〇〇〇年超越自由黨舉行「建黨大典」那天，她就和一個不知名的客人睡覺，賺了幾千塊，她說超越自由

黨和她一樣有很好的開始，我聽了不禁笑起來。而後她憂鬱地說：「攝影家，你知道嗎？我實際是個妓女。」她問我對妓女的看法，我鄭重地告訴她妓女沒有什麼不好。我說：「事實上，妓女也是職業，如果論主顧關係，二〇〇〇年後的臺灣人沒有一個不是妓女。」她嗤嗤地笑著了。我確信她喜歡我的坦率和毫不避諱。她又問我，假若我被逼一天與五個人睡覺，那麼我會不會抱怨什麼。我說，首先我會訓練自己的身體以免腐朽，再次我要力爭上游，因爲我不甘心。她說我完全猜中了她的觀念，也就是因爲這個不甘心，使她變成一個好演藝者。我看陳瑪麗正像這一塊困頓土地上的任何婦女，一些豬正一面歌頌她的豐腴有如母親的懷抱，一面却蹂躪著她。

車子滑入歡鬧區，衆多的仰著頭的行人摩肩接踵地穿行。我們經過渦流街，當我告訴她這渦流街的眞相時，她有趣地聽著，但不訝異，她說她以前甚至在好多類似渦流街的地方接客。她轉過頭去銜一根煙，酒渦淺淺而優美地盪開了。她說：

「替我點煙好嗎？攝影家，聽說你結婚了。」

「是呀，瑪麗。」

「她很漂亮嗎？」

「她不漂亮，但很美。」我只好這樣說。

「你很會說話。」瑪麗認眞地說。

「妳呢?爲什麼不結婚?」

「我不!原因有一百個。但是最重要的是,結婚等於成立一個養老院,養老當然有必要,但我老時,要回到破落的那間小屋,我怎能忘記自己的出身。」

「哦,瑪麗,妳是不可救藥的女人。」

瑪麗很愉快地把車開進她喜歡的街,最後停在一家澡堂前,她表示這是她這次逛街的目的,並且她聲明我一定要陪她泡三個鐘頭的熱水。我說試試看。

澡堂的生意大好。事實上在一九九五以前,臺灣的澡堂已在各街林立,多半與色情分不開關係。一九九五以後,由於自殺率的逐漸提高,色情低落,澡堂生意也跟著不振。但二〇〇〇年後,超越自由黨的控制使澡堂生意復活,這時的人已不再爲色情上澡堂,而是沒有未來的人生觀使人願意多花時間泡澡堂,有時人們甚至會泡完澡堂後因舒服而自殺。

我們走進一家精緻的高級澡堂,瑪麗和他們很熟,不需要檢查是否攜帶自殺用的刀片或安眠藥。而後在6號雙人的澡堂裏就位。雙人澡堂的裝璜好極了,有一間榻榻米坐房和扶疏的溫室盆景,燈光柔和,在坐房的中央有扇浮世繪的屏風遮圍的溫水池,就我所知,溫水池裏的水有些是牛乳和高級的茗茶,我相信很多人也爲享受而來。我們卸裝走進溫水室,瑪麗說有衣物使她感到束縛，她褪掉了內衣褲，我驚奇地在室內皎好的燈光中見到她健康而優美的胴體，她跳進池裏，清澈的水立刻濕潤她橄欖的肌膚，胸背的曲線玲瓏有力，我多少有些睜不開眼睛，她拍拍浴池邊的瓷砌，說：「攝影家，我不反對你下來替我擦背，我要仔細看看你的腿傷。」

我告訴她我正在考慮。因爲我想起小惠。我是否該遵循我和小惠的盟誓呢？這是一個極其重要的問題。陳瑪麗在那兒笑著我的躊躇，五分鐘以後，我走到池邊說：

「只因妳身在其中，不知妳有多迷人。我不是正人君子，我的理智快崩潰了。」

「最好你快一點崩潰。」她有致而細膩地去拆頭髮上的飾物，嗤嗤地笑。

「但妳知道，我結婚了。」我說：「我還是去榻榻米上的桌前獨坐。」

瑪麗不高興一會兒，但她馬上愉快地說她「嘲笑地」尊重我的理智。

三小時後，我們駕車回來，瑪麗說如果她是小惠，她會跟著我一生。我不好意思地笑著。

瑪麗不時愉快地望著我。那種眼神使我想起小時候的青梅竹馬。

分別時，她遞給我一大疊的歌廳招待券，表示希望我帶朋友去玩玩。

而當我走回宿舍，林山跑來告訴我，**「自由少爺」**這幾天要到北回歸。

14.

6月　日

由於廢墟警訊的擴散和絕望人民的反抗使事態愈來愈緊張，幽谷教會的事件觸怒了超越自由黨的黨中央，立即發動全島檢查。「自由少爺」就為這件事來到北回歸。黨書記和電視策劃部主任緊張得不得了。

我們的公司直屬中央「司檢部」的督導，我們常和司檢部的人聯絡感情。其實我們心理都明白，司檢部怕的是我們散播太多的社會新聞擾亂了百姓的溫和，而我們也怕司檢部的人挑剔我們的新聞或任何節目。但有時難免有錯，比如說廢墟警訊在各地散播，本來我們不可播報，但為了對百姓負責，我們把它當成茶飯後的閒談報導它，對幽谷教會的評論則採取同情的立場。不得了，在中央司檢部卻捲起大的廻響，司檢部的激進人員說要「徹辦」有關人員，並要肅清「可疑人物」。他們認為北回歸岬角的人員也要負責任，特別派了兩個專門受過「藝術訓練」的人員到岬角來，他們要會見各工作人員，重申指示，並查閱這兒的風景線以及節目資料。

我們知道這是很緊張的，在考慮過所有的可能性以後，我們把一切不妥當的資料都收藏起來，水上樂園、堤防、海灘、鏡佛、攝影場都重新上油漆，過濾海灘的水，把一切都弄得亮麗而有朝氣。這樣眞苦了我們這些工作人員，我和林山充做油漆工，用亮光漆噴著大樓的牆壁。

今天，午後，帶著「不」字肩章的兩個自由少爺由黑色的專車接送到岬角。看來多麼地神氣煥發，典型的新一代菁英，梳亮的頭髮，閃亮的靴子，銀製的鈕釦，手提箱，英姿勃勃。超越自由黨給他們十足的權力，可以割除新社會的毒瘤，他們是新社會的醫生，手裏的手術刀是手槍和鐐銬，北回歸的工作人員集合在電視大樓迎接他們。人人的額頭掉汗，頻頻致意。陽光還相當幫忙，使北回歸一片鮮亮，比電視出現的景色還要逼眞和光彩。

「眞他媽的。」林山說：「黨書記還沒有見到這二人，就好像被判死刑。」

攝影助理老張却機伶地跑過來，說：「我以爲是什麼天神下降，原來裏面有一位是我高中的同學。」

「這倒有趣。」林山說：「你去攀他們一把吧。」

「那當然。」老張說：「我正在動腦筋。」

然後我們一起想到陳瑪麗丟給我們的酒樓禮券。

我們在電視大樓的禮賓大廳爲他們做簡報。寬廣的大廳打出字幕，我們詳細解釋這一年度的工作細節，一切都在「溫和、舒適、美化」的原則下製作節目。兩位自由少爺表示滿意，而後例行做了許多部門的檢查。在我們攝影的這一部門，自由少爺對我沒有偏見。並且他們也研究過我的攝影理論，他們說我很「健全」。傍晚時，我們才完成所有的檢查。我們在三號攝影室的草地上閒坐。老張和戴著金絲鏡框的一個自由少爺是同學，他們好像談得很好。老張說畢業後他們都各奔前程，金絲眼鏡的少爺是警官世家，他馬上報考警官學校，而後搞調查。老張說：「但無論如何，我不能把你和調查員搞混在一起。你在高中很害羞，碰到什麼都臉紅。」而後老張談一些糗事，諸如躲避女校生的騷擾，考試時手脚發軟。「現在不會了。」金絲眼鏡的少爺說：「我很適合搞調查，可以使我堅強而壯大起來。」他痛快地大笑。

我們知道金絲眼鏡叫楊金德；另一個墨鏡的叫謝濟民。他們摘掉眼鏡時漂亮極了，我們的的確確可以感受他們是從幾百人中所挑選出來的菁英，他們年輕、健壯，只是缺乏某種東西，我的意思是說靈魂裏的某種活躍的生機，但我這是古典思想的思想了，如今的人是不管這一套的，新社會的菁英要的是一種馬上可以抓得到的、看得到的、確定的東西，所謂的可以憧憬的可以永恒的人生價值觀被證明是一種錯誤，我可以感到司檢部的堅實的力量。

我們提議去**「粉腿大樓」**逛逛，兩位自由少爺表示沒有意見，瑪麗的招待券立即發生效用。

粉腿大樓很有名，位於繁鬧的市中心。我們要通過許多的垃圾的街路，才抵達這條金碧輝煌的地方。這個市中心經過幾個政權的努力已有摩天大樓羣的建容。巨大的樓房像森林一般地矗立。隨著短暫的人生享樂觀的增加，這兒滿是酒家、舞廳、劇院、按摩院、成人樂園、屠殺院（專門殺戮珍禽以取悅觀衆的表演場）……但在摩天大樓的底層小巷、壁隙，衆多的報廢的窮人也雜處著，這裏是典型的天堂和地獄的二層空間建構。我們的車子在粉腿大樓前找了個空位停下，正好是一場流行的電影——純粹是色情的電影——映完。人們擠出電影院，瘋狂立卽散佈整個街面，年輕的、壯年的、老年的都在生機慨慨之中奮起，散出殘存的興奮。現在的電影是純粹的色情了，當然恐怖片也獲上演，但無疑的轉動在色情的軸心上，太空爭戰片禁絕，因爲它會引起廢墟恐怖，文藝片滅絕——通常悲劇會使人引發自殺，喜劇則成無聊，我曾翻查過所有的電影目錄，發現古典社會的電影是一種很不實際的電影。古典社會的電影導演彷彿都是幻想家，他們對未來的過多的憧憬使他們拍了無數類型的影片，而在影片的意圖上加上主觀的願望，有時也訴說絕望，但毋寧是希望的反面投射，有些電影搞暴力和革命，並盡量說明那是多麼浪漫的事兒，但現在新社會證明那些電影是滑稽的。新社會的電影只能是溫和的、歡樂的，拒斥可笑的舊理念。

我們跳下車，進入粉腿大樓最底層的歌廳。

類似粉腿大樓這種消遣處是一九八九年後典型的大衆娛樂場。它的經營型式起源於一九八〇年代，因爲傳統的歌劇院經營大半非常困難。人們花錢事實上是爲了找娛樂，但傳統的歌舞劇院並非完全能給人充分娛樂的地方，有時人們去看一次歌舞劇，竟然會感到悲哀。於是大半的歌舞廳在一九八〇年後都轉向了色情。又由於一九八〇年後，政權和人民很少瞭解藝術的功用（我在一九九七的攝影理論曾提出一些淺薄的概念，認爲藝術可以引導人類進入科學和宗教的深處，從而改變人的認知能力、感受度，釋放他的潛能；這種說法很平常，但遭致攻擊），偶而國外來的藝術品，主事者用慶生晚會或喪禮的儀式，把它玄妙或誇大化，百姓便不知其所以然，最後則被嗤之以鼻，藝術與騙子就成了同一名詞。沒有人理解藝術品並沒有不好（至少可以減少無益的心思花費在摸不著、搆不到的東西上），若按照新社會的觀點，古典的藝術是一種無用的藝術。人們很快地找到了他們可以理解的藝術，那就是和「性」「喧鬧」相關的娛樂。凡是引起性感的東西就是藝術，並且借喧鬧和呼喊把它表現出來。粉腿大樓的娛樂充分把握這兩個特質。但只有特質是不夠的，粉腿大樓吸收了一九八〇年來的各娛樂場優點。差不多在一九八八年，有一個商人發現，人的慾望是要靠引導才會沸騰的，傳統的個人一時性的衝動對娛樂場無積極的幫助，他創造一種慾望提升的層樓商店，人們由第一層樓開始，藉著藥物、刺激品、女人，一直往上娛樂到最高層（通常是十層樓），而達到生命刺激的高潮。粉腿大樓就是這種建築。當然在最高的樓上還保留有古典藝術的欣賞，諸如音樂、美術、古董。許多古典藝術家受雇在那兒接受表演，諸如點唱交響樂、展示抽象藝術等等。

我們在歌舞廳落座。小林、老張和自由少爺坐中排。我想攝影就溜到前面，因為喧鬧的氣氛很厲害，燈光的閃爍很強烈，我一時不知道要採取什麼樣的方法拍攝。歌舞女郎是暴露得太厲害了，而男性只著丁字褲，根本上他們不穿任何衣服在表演，如今的歌舞廳都這樣。歌舞者必須負起激起觀衆興奮的責任，演員則必須層出不窮地談「性」話題。最重要的，他們要安慰觀衆，性是生命之母，性是無害的。事實上，有一段時間「性」成為一種恐怖，那是「性疫」的流行期間，使大家有嚴重的心理負擔。人們心裏知道，自二〇〇〇年超越自由黨宣傳「性」的重要性後，「性疫」仍沒有撲滅，無數的人飽受困擾。有一則笑話說：「你有權利選擇經由上呼吸道或下呼吸道進入天國。」下呼吸道當然是指泌尿器官。娛樂當局沒法消除性疾病，只好採取全面不理，他們說性疾病是一種富貴病，是新社會人民的「美麗的負擔」，並訓令各娛樂場所要疏導觀衆和顧客的情緒。今天的節目是位女星誇大地說她昨夜和十個人睡覺，第二天早晨更加容光煥發。一位男星則暗示在新社會因「性」這碼子而死亡是絕對光榮的事。大半的觀衆都很合作，一直拍手、大喊，在燈光四射中渾然忘己。

第二層樓是舞臺劇，在南部，它是有名的魔鬼劇場。演出臺灣發掘出來的陰間戲，由許多民間喪禮演化而來，離不開十八層地獄，刀山、油鍋、鋸形、釘床……這些佈景。我們全沒想到島上的人會酷愛這種東西。一九八〇年爲止，西方恐怖電影和劇場早已影響劇界，並留下了深遠的烙印，但它的型式畢竟相當的「但丁」和「希區考克」。臺灣將之揉合成更恐怖陰柔的鬼魂戲。二〇〇〇年，自殺人口的增加，超越自由黨查出那是人民對地獄沒有深刻的概念的緣故。因此加強在恐怖劇上的努力，電視電影常播出以陰間爲題材的新藝術，成果可觀。觀衆本來就無可選擇，只能一看再看，有時太恐懼了，慶幸他不在地獄裏。超越自由黨指出新社會是值得活下去的，人沒有自殺的理由，因爲無論如何，新社會比地獄好一萬倍。

我們在這兒幌了幾下，倒是兩個自由少爺看著恐怖劇，而且笑了。楊金德靜靜地看著，臉露出一種堅定的神色，彷彿戲裏給了他力量。

我們跑上了三樓的酒廳，奇異的東方新社會酒廳儀式在這兒展開，喝酒的人都是猜拳俱樂部的成員。酒精一向在臺灣扮演著很重要的角色，我的記憶告訴我，臺灣的人在一九八五年是很少獨自個兒喝酒的——雖然獨自喝酒的樂趣不少，這與臺灣人越來越不善過內心的生活有關。喝酒就必須和酒宴相關聯，並且一定要杯盤狼籍。事實上，臺灣的傳統喝酒習俗有相互禮讓的神聖意味。但一九八〇年後，相互凌辱的島民個性藉著酒宴被表現出來，划拳就變成一種喧囂，我曾在小時候看到猜拳者相互鬪毆的事，當時被認爲是習以爲常的現象，一九八五年以後，政黨的力量想滲透民間，迭次藉著酒宴和地方溝通，酒宴就摻雜了政權的味道。一九九〇年後，猜拳協會在各地成立，主其事者都是黨政要員。二〇〇〇年後，自殺率到達空前，人們在酒宴上大肆瘋狂喝酒，而後鬪毆死亡。據統計，二〇〇〇年後的熱帶地方，臺灣喝酒的致死比率佔第一位。如今新社會的人們並不要什麼更大的東西，痲醉和死亡就是一種單純而值得追求的藝術。當局曾禁止喝酒幾個月。但後來發現自殺率更高，因爲新社會除了「性」可以激發殘存意志外，剩下的就是酒了。沒有酒精使人們懨懨而無生氣。超越自由黨只好盡量禁止人民鬪毆，但不禁酒，猜拳研究會在各地成立，黨方人員主持研究。他們發展各種猜拳的形式，各地定時舉辦划拳的比賽。粉腿大樓的酒廳佔地在公頃以上，設備華麗、空曠、巨大，大空間使來到這裏的賓客變得渺小。無數桌的酒席攀滿一組一組的人，每個人都對著巨大的空間呼喊著猜拳，好像要把我們一生力的量都喊出來。

我們開始在五、六樓接受按摩，在七樓和女人瞎纏，在八樓吃藥作樂，把力量用光。但在九、十樓，我特別敍述這兒的美妙經驗，他使我們眞正獲得解脫，完全瘋狂地渲洩了我們的苦悶。

九樓十樓正是古典藝術的表演場。

古典藝術，不論巴哈、蕭邦、立體派繪畫、新寫實藝術都在列。很奇怪的是，即使新社會努力打擊古典藝術，但事實上喜歡古典藝術的人卻不少，像小惠這一類的藝術者似乎有增無已。他們酷愛他們會共鳴的藝術：諸如抽象畫派和打擊音樂。他們甚至奔放地創造一些夢和憧憬，有一個地下畫派「新土地」曾結合音樂和表演藝術在北、南都會流行，他們創造相當水準的作品，曾流傳到國外，精神的強度震動了許多的國家，他們使用**「廢墟藝術」**來稱呼它，使歐洲的現代畫派——諸如醜怪藝術的壞畫相形失色。超越自由黨立即抑制她，新社會認爲那種藝術只是感傷的作品，無益於實際。但底層的社會仍不斷創生一些奇蹟藝術，並暗中買賣，形成黑市。新社會採取消滅黑市的措施來撲滅他們，爲了便於控制，官方成立「古典藝術」的欣賞處，以薪酬在那兒表演，無以爲生的古典藝術家只好在那兒受雇渡日。

我們在九樓的「古典音樂演奏廳」停下脚來的時候已酩酊大醉。謝濟民和楊金德一直提到他們審判一個暴徒的事，謝濟民比手畫脚，他大喊：「吊起來，把他吊起來，用鐵燙他，燙他！」他大喊。我們不知道他說些什麼。古典音樂廳佈置還好，但距第一層歌廳的豪華遠矣。我們看到演奏臺上有些異樣，隨便找個位置坐下來，因爲酩酊大醉，我們不能預測自己會做什麼。主持人在開始演奏之前先致歡迎詞，並說明演奏的名稱，他並聲稱如果演奏不滿意可以抗議，在我們座位旁邊有一些鷄蛋和果物，我們可以擲果物以示抗議。幕一拉開，我們見到演奏者都坐在那兒，但人們已開始向他們投擲果物和鷄蛋。在演奏柴可夫斯基的樂曲時，一顆橘子打中了一位小提琴手的鼻子，把他打翻過去，他摸索地去拿他的小提琴，把椅子扶正，又拉起來，但發現弦斷了。我們和所有的醉漢都哈哈地大笑起來。楊金德說：「眞他媽的過癮。」在朦朧中，我們忘記了做了哪些事，我們把身邊的果物和鷄蛋都擲光了，音樂會以一首「悲愴」做結束。我們大笑地和衆人湧向十樓的繪畫欣賞廳，這兒的畫家來自全島各地，他們職業地受雇於類似粉腿大樓這種古典藝術表演場。如果他們不在這裏展出，他們不得在任何地方展出。事實上他們別無選擇，因爲生活和「表現」使他們不得不如此，當然觀賞者有權批評和讚賞他們。巨大的空間吊著畫，畫家們衣著不整地護衛他們的畫。許多醉漢舉著蕃茄和鷄蛋去丟他們的畫。我們也忘了做什麼。只記得謝濟民和一位自認「臺灣愛倫斯特」的人理論他的畫。那位新愛倫斯特正是「新土地」畫派的成員，他畫一幅長著翅膀的兩頭尖嘴的怪獸站在一片斷垣頹壁上，却題名是「猪」。謝濟民認爲他不應該那樣命名。結果謝濟民打歪了他的下巴，把蕃茄通通倒在那張畫上。我們哈哈大笑地離開。謝濟民說走進古典藝術場使他感受到屠夫的快樂。最後走到最上面的平臺屋頂來俯視全市的夜景，巨大的都市的燈火在浮塵之中一片火紅，有若烘爐透出的煉光。

我們縱聲大笑。當老張談到最近的不安和暴動時，謝濟民揮舞他的手，五爪並張，他說：

「超越自由黨會控制得住！控制！控制！完全地控制！」

15.

6月 日

超越自由黨的誇大並沒有成爲事實，我們又不得不去趕一場採訪。

一個很快的消息來到了新聞部，有一對黑社會幫派佔據了圓環。我們並不眞正地淸楚他們的內幕，但黨書記告訴我們，情況比幽谷教會還嚴重，黨書記說，據上級的指示，有人暗中策動，這不過是一串連續陰謀中的一件，因爲暴動續行展開，至少北部有兩起攻擊礦山的暴動，而中部則有人盤據在鄉村。南部就是現在黑社會的騷動，他們刼持了一批特權分子。

當我們的錄影隊抵達圓環的大道時，已經人潮洶湧。拒馬已經將圓環的四條馬路都擋住了。所有的警察都進入了射擊位置，但警察的警力顯然薄弱，只好靠著掩體保護自己。如今的臺灣，警察早已成了廢鐵，因爲自從人民的人生觀念改變，警察也不可避免地改變他們的人生觀。大半的人認爲人不必再與什麼對抗，屈服在新社會裏，不思不想地準備過完殘餘的歲月，「殘餘」這個名詞是很不平常的，我常閱讀古典社會的文章作品，那時「殘餘」被認爲是可嘆的。比如一個活到八十歲或染上嚴重癌症的人，人們才把他僅能再活的幾年生命叫「殘餘」或「殘生」。但現在在一個剛出生的小孩學話時，人們就教他「殘餘」的意義。十歲的兒童就已瞭解，他們的生命就是完全的殘餘。正常的青少年都願意聽從整體的指導，樂於按超越自由黨的指示而活下去。有一次險些發生了遺憾事件，一羣青少年入山，因爲幾天沒辦法由報紙和電視中聽到「你應該」的這個指令，竟企圖自殺，因爲他們的頭腦呈現空白，就好像完全失落在一個空無大海，萬念俱灰。「殘生觀」使對立變得沒有意義，踽踽地活下去是人生態度。就是警察也抱著這種觀念，他們不願費太大的力量在治安方面，眞正執行治安者是超越自由黨軍事衛隊。另外則是黑社會的武力膽量超越警察。由於生死的概念模糊，有些人就樂於找碴尋死，對一些事就小題大作，作一些誇大的行爲，想爲自己的生存立個碑，比如：爆炸自己、飛躍懸崖、縱火自焚，但大半只是噱頭，引不起人們興趣，但黑社會的火拼卻例外，通常各地的火拼事件是我們報導的主題，這是長久歷史發展的結果。在一本《臺灣黑社會發展史》裏記載，一九九〇年以前的黑社會是一種偷偷摸摸、作風拘謹的組織。我們的新社會很難理解他們的心態，他們的目的好像都在謀利，甚至有以之來營生者。一九九〇年後，雖然武器仍禁止販賣，但由於武器可以大量地走私進來，黑社會開始配備衝鋒槍、手榴彈、火箭筒和迫擊砲，力量超越了警界，警察開始退出直接的衝突，對黑社會低聲下氣，一九九五年後，制壓黑社會的工作由軍方負起，勉強可以控制，二〇〇〇年後，黑社會轉向爭利、爭名和超人表演的目的上，超越自由黨的軍事鎭暴部隊配備的武器相當好，他們的方法是直

接地懲罰，絲毫不留餘地。有一次兩派的黑社會佔據一個廢墟村火拼，超越自由黨用自走砲轟擊他們，不到半小時，將廢墟村的山頭轟成平地，消滅了一百名以上的好事之徒。電視轉播這件事。軍方以戰勝的姿態，升起超越自由黨「不」字的軍旗，望空閃亮，人們在電視機旁微笑、點頭稱是。

我們在距離圓環一百公尺左右的一心大樓的七層樓上找到一個窗口時是午後一點，圓環的商家早已完全撤離到二百公尺以外。林山跑下樓去實際理解狀況，我和一批人在窗口眺望。我可以在高聳的浮塵下感受到整個都市的壓力，它正像是瀕臨崩朽的一片大森林，而人類穿梭在森林中做死亡的遊戲。

老張抽著菸蹲在我旁邊，他提到一九九〇年以前的他的小故事，他說一九八五年他恰好十五歲，那時他也在都市森林裏鬼混，他提及那時他使用的鬼混武器是一支蝴蝶牌的口琴，外面用好看的手帕包紮起來，裏面放圖釘，當他猛擊敵人的時候，圖釘會在敵人的臉或手上抓出一條條的血痕。二十歲時，他使用過手槍，打了一個敵人三槍後被捕，嘗試過被審訊、灌水、倒吊的滋味，但彷彿他沒有見過類如今天的場面，他形容這場面是一場大戲。

午後三時，圓環仍然寂靜，我們不能詳知底蘊，在三時一刻左右，右方大樓下有一個影子出現，向左方的廊下開火，「碰碰碰」的子彈打到了對面的廊下，好像引起了騷動，但又停止。

「他們使用衝鋒槍。」老張說。

市內的空氣彷彿很糟似的。整個天空的雲靄又低又濃，叫人聞到死亡的味道。同時在六樓望過去，街道一堆堆的垃圾都在太陽底下冒煙，擴散的味道使人頭昏腦漲。

四點鐘時，林山回來。他表示警方正勸他們出來投降，但警方並沒有進一步的措施，這二派黑社會的武器配備足以掃平整個圓環區。林山在警方那兒得到的訊息是，他們的武器最少有一箱手榴彈、二挺迫擊砲、數支火箭筒，和一打以上的自動步槍。他們的爭吵原因並不是一朝一夕，而是涉及世代與世代之爭。

原來古典時期的黑社會傳留下來的爭利和爭名的觀念在二〇〇〇年仍沒有完全改變。由古典時期過渡到新社會的黑社會人物仍不能完全適應新社會的觀念。這一種半新不舊的黑社會在南部聚合成一個血花幫。二〇〇二年，超越自由黨在一次檢肅黑社會的行動中，使血花幫的人數減少一半，而竄出更爲年輕的「新武幫」。有關新武幫的青年，我們並不理解他們成員眞正的素質，但顯然他們有著高級的理念和科技。他們曾經在一次表演性的火拼中使用過化學戰劑，反社會的新一代的專技者似乎在暗地裏和他們勾結，他們當中也有新一代的藝術家，據說「新土地」畫派的人在被彈壓後，有部份加入新武幫的活動。它的成員似乎決定了它的個性,新武幫自認是反對者,旨在證明人在新社會裏仍有意義,它的理論是**「新蜉蝣論」**,而在毀滅之前建立個人的碑文,他們說:「一隻蜉蝣只是一隻蜉蝣,但它若被單獨提出來,就不是蜉蝣。」我們很難理解他們深層的哲學,甚至他們彷彿又回復到古典社會日本的武士道,但又不盡然,如果說武士道,那麼它絕不是日本的武士道,而是廢墟中的武士道。新武幫和血花幫的火拼由二〇〇二年持續到現在,因爲新武幫的哲學基礎相當堅實,行動出奇地簡明有力,教育水準也高,血花幫在老邁不堪中逐漸式微,有部份的血花幫甚至慢慢也強調新武幫的哲學,變成一種曖昧,我們甚至可以說新武幫的哲學將會成爲高市黑社會的哲學理論,這種發展能使超越自由黨感到害怕。

「警察正勸他們出來投降。」林山用望遠鏡看著,對我說:「你把鏡頭調到拒馬那裏去。」於是很清晰的,我見到在拒馬那邊警察用擴音裝置在喊話。

「他們是不會投降的。」林山出神地望著:「他們會幹到底。你看一百公尺內那些窗口是什麼?」

我在鏡頭看到許多槍管,甚至是火箭筒。「他們要幹什麼?」我說:「轟平圓環區的大樓嗎?」

「他們會幹下去的。」林山又說。

一陣的自動步槍在四點四十分左右帶動兩排大樓的激烈槍戰，子彈呼嘯地掠出了窗口，「碰碰」的聲音好像要震破天空，煙硝四起。我在望遠鏡看見許多的窗口流著鮮紅的血。但五點一刻，槍戰突然停止。直到六點已過，出奇地並沒有發生什麼事。

黃昏時，空曠的圓環出現了一兩個幫派的人，林山說穿著戰鬪勁裝衣裳的人是新武幫的人，他們鐵銀色的衣服和綁腿相當鮮耀，突出他們的叛逆性。而穿著改良過的短勁乳白色西裝的人則是血花幫。林山分析他們可能在妥協什麼。

「他們的時間已經不多。」老張說：「在黎明前，海軍陸戰隊會大舉前來敉平他們，催淚彈和自走砲會使他們一個人也逃不了。」

大地在七點後開始闃暗起來，使圓環的燈火高燒，所有的霓虹旋轉起它們的光，在浮塵下如同夜的天堂。

忽然兩邊的大樓奔出許多的黑社會分子，他們端槍分別跑向圓環的四個路口，側身在黑暗的走廊方柱，封鎖了五十公尺之內的圓環。顯然並沒有再度的衝突，他們似乎已經談妥衝突，我們猜不透他們爲什麼要那麼做。最奇怪的是，有一些撤退到二百公尺外的百姓反而慢慢地走回圓環，黑社會的持槍分子並沒有傷害他們。而走回圓環的百姓都站在圓環四周的廊下，鴉雀無聲。

有人告訴我們這些攝影人員，他們彷彿要舉行什麼儀式。

現在憤怒的黑社會青年都跑出來。

鐵銀色戰衣的新武幫和乳白短勁西裝的血花幫排成二排，而後帶出了一批垂頭喪氣的男女。圓環的情緒立刻有變動。那一羣被帶出來的男女大約二十人，如果按消息看來，一定是被綁架的特權分子。鐵銀戰衣的新武幫青年先面對圍觀的羣衆，徵求羣衆的意見，那些觀衆不曉得聽了他們什麼話都抬起手。於是幾個鐵銀戰衣的青年走出來，很快奔入兩邊的大樓，一會兒，我們看到二棟樓的八樓窗口出現了一條鋼索，橫跨圓環，差不多離地有二十五公尺高，鐵銀色戰衣的青年向那些特權分子說了許多話，特權分子顯然非常害怕，最後只有五個人站到行列之外，跟隨鐵銀色戰衣的青年身後，進入大樓，不久在八樓上的一個窗口，一個鐵銀色戰衣的青年探出頭來，向地面的羣衆揮手，他很快地持了一支平衡桿，走上鋼索，在幾分鐘之內橫越了鋼索，地面上的人都拍著手，平衡桿又被傳回原窗口，很快的一個特權分子也持著平衡桿走上鋼索，但五個人之中，只有一個成功，有四個人在半途落向八層樓下的地面，立即摔死。圍觀的人在每個特權分子跌向地面時就發出大的騷動，鬧劇一直延續到午夜，他們的叫聲震動夜空，構成一種奇妙的燈海的音樂。一點鐘時，血花幫和新武幫的人跑回他們的建築物裏，羣衆四散奔跑。得到消息的人由樓下跑上來，他說：「現在他們要處死剩下的十五個特權分子，並準備轟毀圓環附近一棟超越自由黨的氧氣公賣大樓以洩恨。」

於是我們急速離開現場。

我們猜測到圓環將會是一片火海，而明天氧氣的價格會上漲。

回到岬角時，新聞部的人很快地整理各種資料。黨書記親自做研判。他說那羣黑社會分子和幽谷教會有相當的關係，他們明顯地向圍觀的人指出他們是爲幽谷教會復仇而來，他們兩幫的人協調合作擄走了二十個黨政經的特權人物，血花幫想詐取金錢，但新武幫認爲必須處死他們，兩幫因此起衝突而在圓環火拼，最後血花幫屈從了新武幫。新武幫還開一線生機，他們給特權者一個機會，就是橫越高空的鋼索，走過鋼索的人就放他活命，結果畢竟只有一個人脫險。

黨書記郭明福表示，超越自由黨最近發現壓力很大，而爲了應付四方湧來的壓力，除了加強武力鎮壓之外，加強**「電視教育」**是首要之務，延長電視教育的時間殆有必要，另外黨書記說：「視覺專家馬赫伯已經回來了！」

（第二部完）

第二部

16.

7月 日

現在小偉一直纏著小惠學藝術，小惠指導他使用基本的感覺和想像，而她自己開始看一些平常實用的書，這使我不解，她甚至會在搖椅上編織一些東西，我不理解她的轉向平常和實用的生活態度是否值得，有一次我放膽去請教她，如果她不再遐想美麗的事情，我會衷心難過，因爲那是婚姻生活害了她。小惠笑而不答，有一次她竟在唸一本育嬰的書。

但不論如何，我們同意，爲了抵抗一種更大的恐懼、消極、統制的來臨，我們要做更大的山林旅行，小惠寬大地說：「如果自殺是人所不願意的，那麼她同意我用逃避的方法。」我們立刻爲小偉買了一些登山衣物，而就在我們準備山林旅行的期間，超越自由黨公佈延長電視觀賞時間，由九點到十一點。遵循舊例，在各種娛樂時間裏宣導政令。我們的山林旅行被迫需要隨身攜帶小型的電視機。

昨夜小惠在小偉睡去後談興高昂，她現在容易在她的崇高與美麗中加入了「家庭」，把我捲進她所傾談的話題中，眞情而凝然。我被她的話感動，感覺到永遠的幸福，不知道何故，我竟和著眼淚睡著了。

今天清晨，我剛翻下了床，小惠和小偉還在睡，我拉開窗簾，早晨帶有一些味道的——我確定是阿摩尼亞化學工廠的——空氣飄進來，忽然在窗口瞧見辛大夫的家門口圍了一些人，好像發生什麼事。我立刻走到辛家。

「她就從閣樓跳下來。」鄰居圍著出事的地點說：「你瞧閣樓的窗被打碎，她跳下，頭部可能受傷。」

我確證發生了事，趕快跑到醫務室裡，辛大夫已經替辛太太打了針，現在她醒來，朦朦朧朧地回著話。

「究竟是怎麼搞的，妳昨晚跑到閣樓幹什麼？」辛大夫大聲地問著。他的眼睛盯著太太，冷笑地說。

「我不知道呀！」辛太太說。

「我的好太太，妳可別瞞我，妳最近一定搞些見不得人的事。」辛大夫收拾藥物和針筒，說：「妳的醜出大了。」

「放屁！」辛太太忽然生氣起來，她轉過臉去。現在她在病榻上，完全是一副病人模樣。小偉和小惠過來了。阿昭和小偉靠在床邊，去護著他們的媽媽。

門口的人吱吱喳喳，我仍不能知道事情的原由何在。但辛太太的傷痕和她的對自己行爲的態度使我有一種憐憫和怪異的感覺。

「林老太太。」辛大夫走到門口去，說：「感謝您通知我。否則她的命報銷了。」

鄰居於是都走了。

「究竟怎麼搞的，辛大夫。」我隔著一張桌子坐下來，說：「喂，昨晚你們又發生糾紛對不對？」

「我們不發生糾紛。但她昨晚竟從閣樓上跳下來，早晨散步的林老太太發現她睡在地上，頭臂受傷。」

「喂，你開玩笑，你說昨晚你太太無緣無故跑到閣樓上，在那兒呆一陣，然後跳下來。」

「對呀，情況就這麼簡單。」

「我沒到閣樓上去。」辛太太意識很清醒，說：「你爲什麼不相信？」

「妳上去了。」辛大夫嚷著說：「爲什麼妳要強辯，閣樓的木窗不是全被打碎了嗎？不是妳上去那兒，會有人把妳丟下來嗎？我看妳想尋短見！」

「我沒上去，也不想死，告訴你，我要再活幾年，天殺的，你這個辛家，好像非要我死不可。」辛太太哭起來。

「你和小惠先出去一下。」辛大夫向我和小惠說：「我要盤問盤問她，你知道我們大學時期的俱樂部還沒有完全結束，我眞懷疑她搞把戲。」

「喂，你不是要打她吧？」

我們退到門口。

「不是！不是。」辛大夫說：「除非不得已。」

我笑了笑，他要打老婆，那是他的事，反正我也管不了。我從門口走出，回到自己的客廳翻閱早報。

晨間的報紙赫然出現幾天前血花幫和新武幫的事，我很瞿然起來，那報上說血花幫和新武幫在一個山區的廢鑛場盤據。陸戰隊首先發現，但不能靠近鑛山，因爲新武幫的新青年戰鬪科技者在外圍佈雷和使用生物戰劑。超越自由黨只好使用裝甲部隊和砲隊轟擊他們，血花幫和新武幫轉入更深的山區。報紙上登出幾個黨徒和陸戰隊員被一顆砲彈炸得肢體飛散的照片，看來令人很不愉快。報紙指出有關當局已發現他們和各地的反抗組織是有關係的，超越自由黨宣稱軍隊在各地已展開搜索，決不容情。在報紙的第二版則報導一些趣聞，他們說這兩三天晚上愛憑欄而眺的人相當多，但唯宜小心，北部至少有三個人不愼由樓上墜下，南部則有二起。標題是：**夜半墜樓爲何人？**附了一張照片。

墜樓了呀，可不是？眞巧，辛太太也由樓上跳下來。我一躍而起，想告訴辛大夫這個消息。

我在他們的房子前面停下來，裏面搶天呼地，辛大夫又打太太了，二個小孩跑到我面前，說：「攝影家，快救我媽。」

我只好抱著這二個小孩坐在階梯上，十分鐘後，裏面的聲音停了。於是我叫小孩去開門。裏頭的辛太太頭髮散亂，她的臉轉成頹喪，辛醫師罵著：「偷人的婊子！」而後去洗手間。

我看看辛太太。她頹喪地進入了歇斯底里，她說：「電視！電視！」

我忽然憶起，電視最近在九——十一點的娛樂劇叫「墜樓」。

※

虛無和沮喪的情緒沸騰起來了，無數的人在超越自由黨的允許山區開始浪潮一樣地旅行。小惠又穿起她的山道旅行裝，她清明的智慧像流動的澗水，而小偉奔跑如一初生的牛犢。我們越過新鑿開的橫貫路支線，攀爬入深山的古叢林，冷凍的山林透過一種離世的想望，猶如天堂。有一次在一處寬廣的深山平臺上，雪把所有的景物都蓋住了，熱帶可鄙的廢墟頓被忘記，我對小惠說：「如果我們要在新社會腐化掉，那麼我們不如就埋在這個雪原。」我懷著痛苦的喜悅，貞誠地說。

「哦，信夫，你多麼頹喪。」小惠靠近在我的懷裏，她拉著我的手，置在她的小腹，她說：「如果我們竟有了一個新生命呢？」

我詫異起來，把她的身子扳過來，我說：「小惠，妳在說著玩嗎？」

「不！」小惠望著我仔細地看著：「不！信夫。」

「聽著，小惠，我不是自私的人，不一定要有小孩是我早就決定的。我的意思是說，假如沒有小孩，我不強求。」

「啊，攝影家，你不會不喜歡自己有小孩吧？」小惠反過來抱著我的腰。

「我是說我喜歡。」我很高興，我說：「我眞的他媽的太喜歡了。」

雪地上的小偉身上被一片片的雪所覆蓋，而一切看來皆如遺忘。

17.

7月 日

岬角，一樣的日子……

※

不知道爲什麼，近日以來，我的腦海裏一直盤踞著許多車輛的影子以及一個「不」字的大徽記。幾幾乎乎是無可抵抗的，且是萬分期待地想像著它們。由於太親切於它們了，有些使我陷在憂懼的快樂中。我在今天晨時告訴小惠說：「我想換一輛快速度的車子。」小惠張著不相信的眼睛說：「啊，攝影家，你的速度在那裏？」她一向看不起我的緩慢的沒有時間、速度的人生觀。「我眞的想開快車。」我坦誠地說。「你有沒有考慮到，最快的車還是不能如夢一般地飛翔呀！」於是，她靠過來，搜索地撫著我的肩背，我對於急馳的車的慾望被遏止了幾分鐘。她說：「攝影家，如果我的記性不錯，你今天要處理的事正是有關於車的事。」小惠把電話錄音打開。是林山午夜打來的電話。他說在八點鐘以前必須趕到中部高速公路的一個交流道，幾十輛車的連續車禍把交流道給毀滅了。

「啊……」我長長吁了一口氣，告訴小惠說：「我交上了車的桃花運了。」

趕到電視大樓的空地上，我把攝影的器材搬上了四人坐的小飛機，同行的是林山和幾個同伴，直升機凌空而起，北回歸岬角的影子縮小，消失在我的視野。

車禍是昨晚深夜發生的，不知何故，同時在北、中、南段的高速公路上各出現巨大的撞車事件。中部的這一起車禍不可收拾，我們接到的情報是一輛巨大的卡車像一隻幽靈船，撞毀了十幾輛貨車，引起連環性的車禍，成百的車輛被迫停駛，林山向我解釋，他希望我在高空拍下整個鏡頭，但我想多瞭解，因此我們在肇事的地段下車。

所有的車都暫時停駛，警哨喧嘩，下了車的旅客散佈在高速公路路面上。

我們想一睹那輛禍首的眞面目，在那兒，交通警察已把車子圍住。很奇怪的超越自由黨的黃衣警衛光臨，把車子單獨孤立起來。我們示出身份證明，被允許察看車輛，我們見到那車子才大吃一驚。那根本是一輛巨大的聯結車，用二十個以上的車輪支撐起來，黑而厚的鐵皮在浮塵下的陽光發著沉鬱的光。它把鄰近的幾十輛車通通撞成稀爛，而使十輛以上的貨車跳出鐵欄杆之外，整個兒跌落到幾公尺以下的地面上，它卻像沒有損傷一樣，兀立在那裏，高速公路噴著血漬。

「我的媽呀！」林山說：「它像一隻殺人的巨靈，要把一切的車都呑噬掉。」

林山向著一位被撞擊的幸運無恙的司機問話。司機說：「我不知道爲什麼會那樣。記得昨晚我們駕駛得很好。高速公路上浮塵度很低，燈光明亮。但在那個交流道，你瞧，好像一個伏擊哨，忽然那輛黑色的聯結車闖上來。我首先看到它，但不在意，它加足了馬力，向我們的前方超越而去，他很平穩，但速度出奇地快。我們不敢相信它會那麼快，它在創造記錄。它游過了幾輛車後，忽然去追撞一輛小轎車，把它掀起來，撞拋到安全島上，仰翻在那裏，又追撞一輛黃色的二千四的貨車，把它撞翻落公路下。我們後面的車嚇呆了，立即刹車，但由於太匆忙，後面的車相繼續撞在一起，大家紛紛把車轉停在路肩。我們以爲會沒事，但不久，那輛車竟反方向游回來，我們以爲在做夢，它如同復仇鬼靈一樣，以極快的速度撞翻停在路肩的車，它連續撞擊，我們被迫跳出車外躲開刼難。但已經一片混亂，二百公尺內的車都毀了。」

「司機呢？」

「我沒看清，他受傷很重，被抬到醫院。據說不是車主。」

「什麼事都會發生。」林山對我說。

我走到車頭。由於撞擊，看來有些可怕，我拍了許多的鏡頭。而後把長長的車隊都拍下來了。之後，我們趕到醫院。

這醫院是南部超越自由黨使用的小型醫院，我們奇怪，超越自由黨何以要護送這個司機到他們的醫院，它想要隔離司機和記者的接觸嗎？如今的醫院也不安全。事實上在一九九〇年後，臺灣的醫院已慢慢有太平間的味道。由於環境變化和拜金思想，加上半世紀的醫院的規約和醫德在島上沒有生根，醫院競相逐利，醫生必須尋求病人，擴大病情，使用詐術，如果是患一點腸胃病的人一送進醫院就被說成胃潰瘍，難逃挨刀。上層社會的醫院當然有了技術和照顧，情況較好。下層的工農病院，就和屠宰場沒兩樣。人的肢體隨便被切除、丟掉，藥劑的使用轉趨極端，副作用的藥劑隨便使用，帶給下層社會重大的殘害。一九九五年後，廢墟警訊十分嚴重，肺癌和自殺率使生理類的醫院偷偷使用安樂死，而精神病院實施監牢管理，部份地下的精神病患收容所也相當盛行。醫院和賜死院並無區別。二〇〇〇年後，超越自由黨重整秩序，嚴禁違反生存法則的安樂死，但不能解決龐大的精神病患人口，太嚴重的精神病患最後都由超越自由黨的私人醫院「收容」，一去不返。我們在猜想超越自由黨是否決定「收容」這個司機。這家醫院門禁森嚴，我們暫時被擋在門外，最後和來自各地的記者被允許和司機接觸十分鐘。

在四樓的厚牆醫室，我們見到這位撞車的英雄，他並不昏迷，但仍不清醒，說話無力。記者們在病房裏喧嚷。提出的問題包括：

「你最近的感情失敗嗎？」

「你是恨世主義者嗎?」

「你能告訴我，你認爲車輛使人討厭嗎?」

「你想自殺嗎?」

他只是搖搖頭。表示不知道。

「你的不知道是什麼意思?」

他還是搖頭。

我們並沒有得到什麼。但我在攝影中，看淸他的眼神迷茫，好像被什麼迷住了。

在警察局。我們約略得到有關於他的資料。

許武桐。三十五歲。「許記」拖車行的小開。略通駕駛。沒有深夜駕車的記錄，這是第一次闖禍。

我們飛回到北回歸岬角，已經下午。在北、南的兩起車禍似乎也不輕，實際上也是一輛車追撞多輛車的事。當中有一位當場死亡。但幾乎，他們也不知道駕車的動機是什麼。

這是十分重大的消息。因爲動機不明才可怕，我記得那種撞車後車頭的恐怖形狀如一血盆巨大，而肇事的司機好像被催眠。

但在黃昏，我們得知超越自由黨訓令不可發佈撞車的消息。

夜晚，我想到撞車，但奇怪的是，我不覺得殘忍，反倒有些興奮，九點的岬角進入寂寞。我去扭開電視機，才想到最近的節目是「大賽車」，已連續了五天，兩天之後播完，接著將播映科學故事「火的歷史」。

18. 8月 日

一大早，我抱著一大堆的書和滿腦子的火光，衝向辛大夫的醫療所，我在痛苦中湧起一種相當怪異的激情，或許我已經發現一種甚深的秘密。

辛大夫總是時時刻刻在他的房間裏準備醫療的用具，他是一個任勞任怨的好醫生，這點是我崇敬他的原因，由他的房間，一樣可以望見岬角底下悸動的海水。在清晨，它含有一種復始的清純，悸動而躍著小小的浪花。使我在腦裏的火光慢慢平息。

「什麼事呀，攝影家。」辛大夫說：「這麼早就來了。」

「不是看病。」我說：「不關病的事。」

「吃早飯了？」他說。

「還沒有。」

他很認真在把工作做好，我們一起走向餐室。辛太太和阿昭在廚房裏，煙、火自廚房冒出來，瀰漫室內。

「眞奇怪。她好像心不甘情不願地在煮飯。」辛大夫說著，探頭到廚房去嚷幾聲：「妳想把房子燒掉呀！」

我笑著趕快把辛大夫拉回餐桌，我說我不贊成他一大早就打太太。

「攝影家，你知道。」他攤攤手，無可奈何地笑著。

我制止他的話，「碰」地把一大堆的書放在餐桌上，告訴他我發現一個秘密。

「你說什麼？」

「嗯。」我說：「如果可能，也是辛太太的秘密。」

辛大夫緊張一下。他正想探詢，辛太太把早餐端上來，我們停止說下去。

用完餚，我們進入書房。這兒隔著一個簾子，可以望見辛大夫培植的花木，陽光照進來，掃除夜後殘餘的黯淡。

「聽著，辛大夫，」我說：「我不想讓這秘密傳出去，成爲謠言。」

「好，你說。」辛大夫說：「關於我太太的事我當然保密。」

「也是關於黨部的。」

「你說，你說。」他俯身去抽屜拿煙絲，靠著椅子，我們點火、抽著。

「你昨晚看了電視嗎？」我問。

「看了。」辛大夫說：「整整二個小時，有關火的歷史，對不對？你要考考內容嗎？幾時你變成黨的試測員？」

「試測員？你說我在考核你？」

我們大笑起來。因爲那些蟑螂實在討人厭。

「我不是蟑螂。」我說：「但想問問你，你對那些火的印象怎樣？我是指你還記得一幕幕的火嗎？」

「記得。」辛大夫滿自信的說：「好像現在還在大腦裏燃燒。」

「哦。」我說：「你不是一向都把電視影像忘掉嗎？」

「我想是，以前我都那樣做，絕不願被那些枯燥的東西盤據一分鐘。但現在不同，眞的，你知道，那些火，我從不覺察過它是那樣理所當然地控制這世界。」

「控制世界？」我說：「你剛說火控制世界。」

「是的，火，火光控制世界。」

「它不控制世界！」我敲著桌子，想使他清醒，我說：「是火的影像控制你的大腦。」

「我不明白。」辛大夫露出難解的神色說：「信夫，我老眼昏花，弄不清你說什麼？」

「我的意思是說，如果可能，超越自由黨正想完成它偉大的視覺和記憶控制。」

「你再說清楚。」辛大夫坐直身來，他說：「你說黨在做什麼？」

「我是說，黨也許會成功，他準備讓我們的記憶塞滿它所要的影像。因爲馬赫伯回來了。」

「你說馬赫伯？」

「正是。」我告訴他：「正是他媽的馬赫伯回到臺灣了。」

我把帶來的書翻開。這是我昨夜花了幾個鐘頭才找到的馬赫伯所寫的五本書。有關馬赫伯，在二〇〇〇年以前，他在臺灣頗有名，在西方的名氣也不小，他研究人的意識及行爲的控制。他在一九九五年時到了臺灣，人們並不理解爲什麼這個西方的行爲科學家會到這個彈丸之地，大家的猜測是他被西方學界掃地出門才到這兒來。原來自一九六〇年以來，強力的政權在臺灣建立後，現代化成了重要的課題。所謂的「現代化」在第三世界的做法通常是指沒有選擇的一種西化，只要西方的文明就引進，有名的學者甚至鼓吹「科學與梅毒」的照單全收。這種極端的想法當然不一定完全會兌現，比如我們發現，不但科學，甚至是梅毒都沒有學成功，但却很快地造成崇洋的風潮。當一個莫名所以的西方學者到了臺灣，所有的人都盲目的歡迎他。於是聰明的那些西方的過氣人物，會無緣無故地跑到臺灣，學者們把他吹捧一番，大搞風潮。他們像報廢的機器一樣地被掃到臺灣，臺灣就供奉他的牌位，奉之若神，科技、藝術、音樂、文學充斥著這些已成垃圾的學說，往往造成污染，我們並不理解馬赫伯是否是歐洲行爲科學的垃圾，但總是他一九九五年由歐洲抵達臺灣，立即變爲行爲科學的泰斗。他的第一本書是《**唯機械論生物學**》，這是闡述他基本生物觀念的書，他眞是一個怪傑，我在早期搞攝影理論時看他的書，大學上過他的課，他認爲生物肉體的存在是某一種物質的機械現象，我們無疑的應該相信它是一堆原子的聚合。生物科學的目的就是改造人（或動物）的肉體，如果可能未來的科學家會成就一種類如人體的機械人而且極端逼近眞實的人。這樣看來他就很像維也納科學底哲學的理論，但又不然，他另外寫了第二本書《**記憶大海**》，却說除了人體外，人尙有一個記憶的海獨立於肉體甚至是腦神經之外，他推翻了近世生物的粗淺觀念，而獨標旗幟。他說我們的一切感官都「必然」地被保留在記憶的倉庫裏，像物體一樣堆積著，這樣看來他又類如柏格森或北印度佛教的唯識學，但仍然有異，他的第三本書是《**反自我**》，很明顯地推翻了一切心理學、宗教學的「我」的概念，他認爲在傳統哲學上的「我」是一種繁瑣理論，丟棄不足惜，他說「我」只是部分記憶大海的組合。「我」只是「記憶」，具體說只是一些影像。所以他寫的第四本書是《**記憶比重**》，他強調潛意識理論是一種不負責任的玄學理論，事實上人的記憶分成「輕比重」和「重比重」兩種，當記憶大海接受感官輸送進來的經驗時，這些經驗較「重」者沉入大海底層，不復再現。較「輕」者浮到海面上，一一現復現。所謂心理學的「情結」就是一些超輕量的記憶，它浮沉大腦表面，不可控制地一再出現。「自我概念」，也是輕比重的記憶。他認爲只要能製造輕比重的感官經驗輸入記憶大海，將大海的表面佔滿就可以控制人的行爲。所以他最重要的是第五本的《視覺記憶與行爲改造》，他專門選擇現實視覺做研究，企圖尋求製造「輕比重記憶」的方法，一心一意想操縱人類行爲。他相信人類對自己的認識還相當玄學和迷信，人們的行爲一定可以用科學操縱。他不相信諸如「我想到愛人黛安娜」這種話有什麼實在的科學性，因爲①我們並不知道「我」是什麼東西；②「想」到底指什麼樣的活動；③「黛安娜」這個人實際指陳的是什麼？如果改爲「記憶大海使黛安娜的記憶影像浮到大海表層」，這樣就完美了。馬赫伯因之畢生都在證明「記憶大海」的存在，而實際地去搞他的「輕比重的影像」這種玩藝，在歐洲他做過許多實驗，但被認爲具有危險性，學界譏笑他搞「新洗腦」把戲，我相信這是他被掃地出門的原因。但他到臺灣却透過官方的幫忙，在一些幼童的身上做實驗，他可以把輕比重的影像輸進小孩的視覺神經而操縱他們的行爲，他的最後一篇論文在二〇〇〇年發表，題名：〈社會控制與行爲工程〉，還未受注意，他就在廢墟撲擊時失踪了。人們以爲他可能已不在人世，沒有想到現在是超越自由黨的貴賓。

「如果可能，」我告訴辛大夫說：「馬赫伯現在拿可憐的全島的電視觀衆做他的實驗。」

辛大夫沉思一會，他說：「我在醫學院唸書時也看過他的書。但我不以爲他的說法和實驗會有什麼進展。」

「當然，」我說：「那是以前，當沒有龐大力量支持的時候，一支槍只能扣一個板機，打出一粒鉛彈，但當有人支持時，可以改良成一分鐘打出六十發的子彈。」

「是嗎？我覺得是否我們在一種迫害的妄想中。」辛大夫做出一種典型好學者的懷疑。

「現在，」我想駁倒他：「假若說，現在馬赫伯這個癟三，他眞的搞出這把戲，他把有關的刺激送進了所有的人的腦袋，不一定人人會出事，但也許你太太是刺激閾相當低的人，當電視工程影像重覆出現時，她會做出墜樓的事，而她甚至不知道她在做什麼。在演賽車影集時，就出了車禍，在上映火的影片時，我們的頭腦不是正在火光熊熊嗎？而這些都不重要，超越自由黨要的是把它的偉大的影像打入我們的腦袋，和超越自由黨產生同一，你注意到，全國的百姓爲什麼最近都嚷著要除掉那些化外之民，而違反超越自由黨的人可以不必審判就轟掉他們的腦袋。」

「是呀！」辛大夫有些相信我的話，他說：「我怎麼沒想到呢？但是攝影家，你不懷疑這是你過度的視識敏感帶給你的困擾嗎？」

「辛大夫，」我也許因著激動，站起來，在室內走一遭，說：「就因爲我是好視覺和好記憶的人才會感覺這種事，我認爲最好事實不是這樣，但如果眞這樣，我們就已陷入不測的險境，一切都亂了，而只要電視時間再延長一倍，或是二倍，我們都死定了！」

醫室和書房都寂靜。我們都落在無語的沉默中。

「辛大夫，」我說：「現在，我只要求你，你應該再提供一些視覺的生理學常識給我。」

※

夜晚，我即刻趕到黨書記的辦公室，實際請他確定究竟馬赫伯是不是眞的回來，他說不錯。我誠懇地請他寄去我的一封信給馬赫伯，我的看法是，他的電視控制是一種危險和不成熟的玩藝。黨書記說他會轉寄，他也提醒我中秋節就要到了，我們高級黨員和專技人員必須回北市總公司和黨部去團聚。如果我要找馬赫伯也許可以見到他。黨書記說我的臉有些病容，要多休息。我說可能是受了二個小時「電視教育」的影響，或是最近採訪太多不幸的新聞所導致。我要求他安排我更多的假日，好讓我和小惠小偉做更多的山間旅行，他說好。

19. 9月 日

九月的上旬，天氣轉涼了。

我和小惠小偉轉向了海拔較低的山間旅行。沿著有瀑布和湖水的山區，我們依次在每個地點渡過一、兩個晚上。然而，旅人也多，我們注意到旅客使山林慢慢地變成一個充滿焦憂、無望的地區。最最重要的，二個鐘頭的電視控制，破壞了整日累積起來的忘世愉快。

小惠說：「我們是難逃於這天地之間的啊。」

但我們大半很輕鬆和寬心，小惠說再過一段日子，她將不能再旅行，我說爲什麼？她說我是一個傻瓜。

※

今天凌晨，我被小惠搖醒過來，山道的旅舍寂靜，但我滿身大汗，喘息頭痛，我發現我略略地病了，小偉睡得很甜。

小惠去爲我泡了一壺溫茶。她說我整夜喊她的名字，她說：「攝影家，我不就在你身邊嗎？」

我歉歉然地笑了。那可能是一種身心疲勞的夢魘，我告訴小惠，最近我常在夢中發現失去了她，或者說當我想尋找她時，發現她在路的遠端消失了，我隱入了霧中，小惠說我是敏感過度的人，她溫柔地把我的頭埋入她的懷中，說：「哦，信夫，我怎能離開你。」她表示一年前，她離開我時造成的對我的傷害。

哦不！小惠，這與以前無關！

傍晚，當我的身心略爲好轉，準備下一站的旅程，但被逼又在旅舍待下來，一陣稀有的火災燒掉了前路的山林，漫延十幾里，有兩個山村和一個山間的療養院被燬。

這件事很不平常，如果說在三十年前發生了森林火災，那是正常的，我們可以設想，由於樹林的茂盛，大自然容易焚燬枯乾的樹枝而形成火災，或者有人偷偷地砍伐森林，爲了免除枝葉的糾纏，他先放火把枝葉燒掉，於是森林火災就發生了，但如今，森林火災是不可能的，至少也是稀有的，主要是半世紀的濫墾森林和山坡地的濫用，使森林一天一天地萎縮，山洪爆發時有所聞，短視的政權無視於環境的反撲，使得童山濯濯，到了二○○○年左右，山林的資源差不多耗竭了，林場關閉，木材完全進口。我們在高空的照片上看見到處暴露在天穹下的完全死亡的山的肌層和骨骼。山林火災幾乎在三十年內沒有發生。

焚燬的山村的居民撤退到這個山鎮來。我們看見煙火自更遠處的山路那端燒起來。一個受了火傷的山村居民頹喪已極，他說他們是厭惡平地的骯髒才搬到山上來，却燬之一旦。據說焚燒和療養院有關。在更濃密的森林處有一所肺癌病患的療養院，火似乎是起於那裏。

「所有的養病所的人都死了。」那個居民說：「沒有人逃出來，他們認為死在火中比肺癌而死要好。」

我眞眞正正地相信，不須經過多久，我和小惠的旅行必然要被逼轉移到人跡罕至的地方。

在旅舍裏，我告訴小惠有關超越自由黨的視覺控制的問題，我叮嚀她在未來的幾天，在我北赴過中秋節的時候，她和小偉必須提防電視。小惠說她會，但她不相信視覺控制的力量。它只是使人在夢與現實生活中被影像所佔滿，並無礙。

20.

9月 日

中秋到了，這樣的日子是少有的，報紙報導，北市將比往年更熱鬧，超越自由黨並迎請各地的知識分子和在野勢力，準備在**「六幢巨廈區」**舉行聯歡，盛況空前。所有的電視員工和岬角區的高級黨員都收拾了行李趕往北部。我幾經躊躇，因爲小惠懷孕，我應該待在她身邊才好，但黨書記再次地提到不要違背黨的意思。無論如何，我悶悶不樂。但我踏出了岬角。

※

人是什麼？或者所謂的「人類」究竟是什麼？更明白的說：自己是什麼？他人是什麼？這個問題，曾是舊社會的問題。古典社會，我們所不理解的已成過去的歷史（看來多麼地不能理喻），他們一直在研究「人」，而提出各式各樣的「人」的理論。如果能提出一套「人」的理論，則人們稱他是「智者」，我常在古典時期的著作中翻閱到二十世紀的「人物」，藝術的、科學的、神秘的，諸如米開朗基羅、羅丹、愛因斯坦、佛洛伊德、杜斯妥也夫斯基、卡爾・馬克斯……他們都是談人的行爲和宇宙眞貌的專家。差不多他們都很敝帚自珍，並且大膽夾纏。在現在的新社會看來，他們多麼無稽。「人不是什麼！」這是新社會有力的論斷，擊垮了一切迷霧，它是半世紀臺灣發展出來的智慧哲學。算來自十六世紀伊始，人從封凍的神權時代解放出來後，在世界掀起廣泛的「人」的思潮。「人的省思」在整個地球都發生了影響，成了一種不斷的運動，至少在二十世紀，「存在」「實證」「唯物」……這些名目都橫掃了世界各地，最最起碼各個新革命後的宗教也在各地傳播。但是島上，由於嚴格的禁令和節省腦力的習癖，使這些思潮無機可乘，更遑論落地生根。一九八五年以來，世界的文明指出臺灣是文化沙漠、「思想眞空」，島內缺乏自信的學者起而響應，剛開始使人們羞愧得無以復加，但在一九九〇年，就有人對之表示反抗，一個黨的哲學家提出了「爲什麼要討論人？」的這個懷疑，立即獲得有力的對他種文明社會人理論的反擊。島上自行重估自己的精神態度，在一九九五年，臺灣的一位辯證家謝大士寫了一本《人不是什麼》，成功地否認了世界諸學者對人的解釋，他提出自柏拉圖到羅素，他們對人的解釋終將徒勞無功，即使基督教、佛教的人觀念也是淺薄的。如果人可能有解釋性的答案，那將是「人不是什麼！」，臺灣，非常幸運，就是這一理論的楷模。不要聽一切的謬論，不要相信無益的說詞，「人不是什麼！」使人輕鬆自在，不思不想。謝大士的理論被世界各地的古典人理論家譏笑是一種「動物思想」或「極端虛無論」，而競相韃伐他。但臺灣的人民却證明古典哲學家是錯的，他們擁護謝大士的理論，成功地擺脫一切迷霧。有一首古典社會的流行歌曲「不知我是誰」的歌曲在各地再度盛行，到處都有人演唱。既然如此，一切社會行爲都會推向直接的、不廻避的性質上去。在一本《十卷經》的著述裏，記載哲學家謝大士和他學生的對話，有時一些學生一面談話一面竟勇敢地自盡了。不久，他的理論變成通俗化，和自殺的風潮連結起來。但在另一面，却影響了人們歡樂的觀念，徹底改造歡樂的型態。中秋節正是這種型態的最好說明。

中秋節是少數幾個能刺激北市居民把臉抬高的大節日。這個節日會使人陷入一種完全忘我的情境中。我非常樂於提到往年這個節日的情形。一般而言，中秋節的節日爲期三天，一切的工作都得停頓，大半的禁制都取消。第一天是飽食競賽。在第一天裏，人們被允許大吃大喝。吃喝一向就是臺灣的傳統，也就是說，臺灣的吃喝完全超越了營養學之外，一種食物，它經過煎、煮、炸、燉、烤、焙、烘、浸、泡……等等過程，常常可以由一點點的體積或是一些重量而變成兩三倍的體積和重量，而人們大吃它，完全和它應該有的味道不同。各式各樣的吃法不可勝數，要將這些吃法羅列在食譜上殆不可能。它從上層社會的饕餮大家到下層社會的販夫走卒都有了秘密的一套吃法。在一九八五年左右，當局曾認爲這種吃法實際是一種「浪費」，而提倡節制飲食，並且西方的簡易速食也傳入島內，有一度，餐飲業出版一本《東方口藝的危機》，呼籲大衆不要忘記傳統吃法，但幾年後，它被證明是杞人憂天，東方的飲食方式並沒有沒落，而且急速地發展，即使是在經濟最不景氣的時期，一切的行業都衰落，但餐飲業仍一枝獨秀。沒有人知道這是什麼原因。一九九二年，一位社會學家指出這種奇怪的現象，有二點因素可以歸納一切的原因，一是在味覺的生理學上的原因，東方的食物可以提供任何民族所不及的刺激。我們的味覺的敏感度不是固定的，它需要開發，如果我們用強烈的食物去刺激味覺，久之，不強烈的食物就變得沒有味道。臺灣的食物差不多都是這樣，西方的食物再如何也沒有這種本領。二是心理上的原因，這位社會學家認爲每人每天的行爲活動所消耗的能量大抵相當定量，如果人們企圖阻塞某部分機能，則另一部分的機能就會代替它，比如人的呼吸道及口腔具有各種行爲功能（諸如言論），當人們被禁止一部分行爲時，唯一的咀嚼行爲就變得強大。這似乎是不能否認的事實。這位社會學家在一九九三年被當時的政權下獄，人們遺忘他曾經做過什麼。但吃的習性繼續快速發展，各地餐飲林立，人們耗在餐飲上的時間倍增。二〇〇〇年之後，儘管廢墟撲擊使人沮喪到極端的地步，餐飲也照樣不改，甚至轉而更盛，當時的格言詼諧地說：「如果不進地獄，就快點吃。」超越自由黨一度想革除這種生活習慣，但立即發現禁止吃喝使新社會生氣全無，於是又開放吃喝，一時之間，吃喝盛況空前。

中秋節的第二天是休息，主要是大睡。沿著街路躺著一個個吃飽的人，不分地點、不拘形式、不論時候地睡。這是一九九八年發展出來的現象。有許多團體在一九九八年開始離開家庭在馬路上流浪，夜晚宿於馬路，沒有床褥、沒有蚊帳、沒有枕頭，到處爲家，並且在北、中、南各大都市流行起來，比較怕干擾的流浪人會隨身攜帶一塊可以摺疊的夾板，可隨意疊成四方型、圓桶型，在夜晚，任擇一處屈身在夾板裏，有一些人專門睡在垃圾堆附近。外國的社會學家指出這是一種極端的物化現象，人在一定的腐爛環境中會把自己視爲「爛仔」，是一種屈服的可鄙行爲。但事實戰勝侮蔑，睡過馬路的人證明他們的行爲可以減輕他們的負擔，他們說：「我們不是屈服，而是征服。」這種團體越來越多，使得街頭的淸潔工人必須負擔額外的任務，就是在整理垃圾（或說是攪動垃圾）時，必須注意有沒有四方形或圓桶型的夾板存在，且必須看看裏頭有沒有人。超越自由黨執政後，採取禁止手段，但逢年過節時開放，人們珍惜這種機會，在中秋節時他們會整個兒躺滿在城市的屋簷下，有些人棲息在天橋，或將夾板掛在電纜上，或躲避在垃圾堆裏，有時則佔據斑馬線，做爲「征服城市」的象徵。雖然外國人的譏笑不斷，但新社會宣稱，都是外國的城市文明尙未達到新社會的階段所致。

第三天當然是狂歡，人們可以肆意在街頭表演各種才藝。在二○○○年以後，舞龍舞獅被證明落伍而淘汰，有一度山地舞蹈流行，人人想復始成原人的純眞，但被認爲造作而曇花一現。西洋的舞蹈也曾介入，但被認爲無稽而繁瑣。新社會的美感（喧鬧和發洩）取得主導，赤裸的跳舞和呼號取代一切。人們用龐大的擴音器吊在馬路上空歡唱，大聲的喧嚷掩蓋城市，但人們會暗地遂行各種奇怪的娛樂，比如一些諷刺劇會無端地指向政黨，最不解的是在見不到月亮時自殺或在月亮正圓的時候跳樓自盡，這可能是對佳節的一種過度的感懷。

雖然如此，但中秋節畢竟很好。

我們在總公司的高級客房放好行李，已經是黃昏，我和林山立即驅車在市內走一趟。所有的市裏的人都散佈到街道來表演才藝，他們在等月亮出來而進入狂歡。但很快地我們被召回總公司的禮賓大樓。在七點鐘後，我們齊聚在二十層樓的禮賓室，已識或未識的同僚使禮賓室熱鬧異常。由這裏可以看見市內巨大的樓房正展開了它們的燈海。雖然有浮塵，但夜景一樣十分燦爛，我一度在這個市裏長大過，工商業的發展使它不斷改變姿容，一度有過它的危機（包括經濟蕭條和被國際判定是核射污染區），但都是安然渡過，現在看來更龐大，也許它仍要堅持一百年吧。

八點正，按計劃我們應該在禮賓室裏進行酒會，但顯然主持者沒有這樣做，我們只好在大樓裏自行找人攀談，攝影記者都聚在一塊，我喜於和他們交換工作經驗。九點正，出奇的，酒會仍不見進行，我感到有問題。林山走到我的身邊，他不知道從哪兒得到一個消息，說這次的中秋節不比尋常，我們不是來歡聚的，可能是執行任務，我問他什麼任務，他說：「**軍事任務**。」

禮賓室立刻竊竊私語起來。問題出在「六幢巨廈區」上，有人接到消息說，好像有坦克正向「六幢巨廈區」移動。我認爲這種事太突然，當然我們事先知道「六幢巨廈區」也正在那兒熱鬧，那裏的反對分子也正在召開中秋大會。但那是超越自由黨允許的，超越自由黨沒膽量在這當兒做出太絕的事，但林山說：「什麼事都有可能。」

酒會在十點鐘時仍未進行。我們終於有些失望而有趕快回房休息的念頭，但十點半我們接到通知，凡是攝影記者必須整裝出發，攜帶紅外線的裝置，車輛會運載我們到「六幢巨廈區」。

天啊，這是一件多麼荒唐的事，當我們來到「六幢巨廈區」時，才看到了所有的路都暗暗被包圍了。一輛輛的坦克出現在那兒，他們竟要砲轟「六幢巨廈區」，這區域的六幢商業大樓高聳入雲，正發出閃爍的光芒。人們似乎沒有警覺到這件事，超越自由黨的行動太隱密了。

狀況隨後發佈，軍方宣稱有一大批的反對人士和暴徒躲在「六幢巨廈區」裏，打算在中秋節發動城市突擊和各地方的暴徒盤據區相應配合。軍方以維護人民安全爲理由，封鎖「六幢巨廈區」，將反對者殲滅。

全市立即發佈進入全面戒嚴，由於不知暴徒在「六幢巨廈區」的哪個地方，軍方表示必須全部轟毀它，不論反對分子或裏面的平民一律格殺。

砲聲立即響徹城市，火光迅速在六幢巨廈處冲天而起，通過矇矓的市光和紅外線，我們的攝影變成一片的混亂，人羣不斷地由六幢巨廈窗口往下跳，而逃到外面的人被封鎖的槍彈所射殺。

月亮似乎並沒有露臉，夜色凝重。我經驗到猶如戰地記者的經驗。那些火光像是由鏡頭燃燒起來，劈叭作響，在黎明時，六幢的大廈和附近的小樓被轟成焦土，陸戰隊立即持槍進入戰火的廢墟中去搜索。

中秋變成屠城的日子。

在和攝影組的幾個人員在凌晨回到禮賓大樓，滿身焦味，全沒有料到的行動，使我們疲憊不堪，我繳了帶子，立即昏睡過去。

21. 9月 日

連續三天，我們依黨方的指示，在市內若干地區拍攝「剿滅」暴徒的影片。大半是小規模戰鬥，一片狼狽的景象，但沒有見到眞正的匪徒。我們感受到一點點什麼，但說不出來。

這是第四天，我們的任務結束，市內的戒嚴解除，人們又走出街道，但好像沒有人有興趣探詢究竟發生什麼。也許人們在電視上都已知道六幢巨廈的悲劇，但他們又恢復了垂首的姿態繼續一貫的生活。今天我終於找到林山，我和他討論中秋夜的事，他的臉一片倦容，我表示超越自由黨的行爲一定會遭到人民的指責，這種格殺的行爲是一種自毀的前兆。林山不表示意見，他說電視正在做解釋，「電視教育」由原來的二小時延長爲五小時。

「五小時！」我說：「你再說一遍。」

22.

9月 日

我們是否該檢討有關一世紀以來科學家們的心靈——不只是行爲，或者縮小範圍只談半世紀來島嶼科學家的心靈。科學家們會逃避地說：**「勿須檢查！我們沒有心靈。」**像那假冒科學的歌頌者——維也納哲學科學家說的：科學是中立的，人只是一堆原子，理性就是一切。

這是對的嗎？科學只是中立，而理性至上嗎？如果我們聰明的話，就該知道這種話根本就是非理性。這種幼稚主義，現在容易在新社會看出它的破綻——儘管這種幼稚主義仍被新社會的政權所供奉。

半世紀來，島上全籠罩在科學中立和科學神聖的神話中。那是因爲自一九六〇年以來，島上開始積極工業化，幾乎所有的青年都奔向科學或單純只是科技的園地，僅管所學的科學科技有限，但科學中立的神話卻膨脹得叫人窒息。我常在古典臺灣社會的科學史中發現，那些自稱科學家的人都哼唱眞科學無罪的論調，他們研究科學只是研究他懂的專技，卻對外在環境的被摧殘視若無睹。而甚至心理、政治、社會的學者也大膽以科學家自稱，他們研究行爲控制，但對人的感情和處境的悲慘毫無所知。一九八〇年後，開始有部分的人提出科學非中立的反論，却都遭到漠視或壓抑。迭次環境的破壞和自由的受斫，這些中立說的科學家都站在統治者的立場說話，但他們沒有勇氣說統治者是非理性。一九九〇，有人說臺灣的理性已淪爲「非理性的娼妓」、「中立是偏執的劊子手」，引起討論，臺灣的「科學家」沒有正當的理由反駁，却厚著臉皮說：「娼妓也是重要的。」實際上，一九九〇年，技術已在臺灣形成一個統治官僚集團。二〇〇〇年，廢墟撲擊挫折了科學至上的理論，大家爭相指責科學的盲目，但二〇〇〇年後，超越自由黨立即恢復科學的尊嚴，嚴厲地指出科學是無可批評的，人類有罪而科學無罪，若有一點科技的創見——類如我這種微不足道的相機改造的人——都擁有高級黨員證的榮譽。

年度的高級黨員聚會召開了，在酒會裏，我想尋找馬赫伯，向他提一點最起碼的建議，我相信他是視覺生理學的白痴。

在禮賓大樓附近的技術商研大樓的十四樓的大廳，所有的故知和新崛起的學界新人聚在這裏，但黑色的中秋節，使這個雞尾酒會如同喪禮。

有二百多人分組地坐在廣大客廳的各個角落，稜形的柱子劃開一個個空間，我先和電子工程的人在一起，而後在另一個角落和核工人員談話，如何這是多麼哀傷的聚會。在二年前我認識的恆鎮核廠的人員陳孝賢並沒出席，當我詢問他的朋友侯鑑達時，才知道陳孝賢在核線外洩時死亡。核能發電廠的人員都隱藏在最陰暗的巨柱邊，他們坦白地說：「一切都指向似乎無可拯救的局面。」行爲科學家和遺傳工程者在巨柱的另一邊，政權的重視使他們高興，他們大談行爲的控制和測度，高呼馬赫伯萬歲，但當我們這些外行人要找馬赫伯時，却始終見不到他，他像一個邪靈隱身起來了。醫學界的人在另外一邊，果然辛大夫也在這兒，他們在討論最近的疾疫。**「廢墟症候羣」**變成另一個新名詞。「所有的人都病了。」一個醫院主任說：「病人要怎樣去治癒病人呢？」辛大夫和我舉杯，他介紹我認識他的同學，那人立刻和我舉杯說：「乾杯！攝影家，你們五小時的電視教育使我們半夜夢著想去航海。眞是好個海上的風光呀！」我的臉一定紅了，但他說「航海」使我吃了一驚，因爲我似乎聽到這兒許多人在談海的事。而且談興高張。

夜深時，黨專員宣佈結束高級黨員的中秋酒會。他也舉杯慶賀這次中秋節的掃蕩行動勝利。他說：「專家們！恭賀黨永垂不朽。」

我和辛大夫相互扶持，酩酊地走出大樓，林山顯然在門口等我們很久，他緊張地走來說：「攝影家，辛大夫，新聞部得到一個消息，這幾天沿海的地區出了意外事件。」

23.

9月　日

要如何來敍述這一天呢？

我懷著一顆暴跳的心，和辛大夫、林山奔向北回歸。在車上，林山一面駕車一面談新聞，當我知道這幾天電視教育的娛樂節目是「深海旅程」時，我知道事情的嚴重性。林山說，在濱海地區，忽然失踪的人相當多。東北部地區的一個礁石上建立起來的村莊，在一個早上，全部都浮屍海上，新聞部的人在上級沒有指示時，尚不敢發佈消息。林山也打電話回北回歸去詢問概況，但他連續打了五個不同的住家，並無回音。我看到辛大夫的臉在發白，我的心暴跳不止。

緊張而垂死的社會騷動使高速公路戒備和檢查更嚴密，超越自由黨的部隊沿路站崗，但我們的心已無暇他顧。

午間，我們的車進入高市，繞過舊道駛入北回歸，我們的目光掠過水上樂園。「看啊，那是什麼？」辛大夫叫起來，沿著岬角的公路一線，警察一字排開，將岬角都警戒起來。

我們跳下車，在鏡佛一帶拾級奔上岬角，我們示出黨員證被准許進入。鏡佛一帶的商家都緊閉了大門，在廣場上，躺著許多人，冥紙悶悶地燒，紙灰飛跌在那兒。海洋上的小船似乎在打撈什麼。我們奔進電視大樓，憲警已指揮著清查失蹤的人，一位警察表示，幾天以來，許多的居民不斷地墜海。一個居民說：「所有的人在夜裏如被鬼魂附身一般，他們循著水聲，走向海中，岬角一半的人都完了。」

巨大的震驚使人失去理智，我們搶回岬角稜線上的公寓區來。整條稜線上的宿舍找不到一個熟人，警察正挨家查對失蹤的人，警察說：「他們已使用小艇在海上打撈了一些人，一律送往醫院急救，但他不相信多少人能生還。」

我在自己的房裏房外瘋狂地搜索，確證餐室、臥房、鏡房、陽臺沒有小惠和小偉的踪跡，立刻衝向辛大夫的家，但我一陣暈眩，在門口，我蹲了下去，天旋地轉。

……………

24.

10月 日

我辭職，回到自己的故鄉——「TNN」村，十月上旬的鄉村有著草木氣息的涼意，當那陽光較爲明亮時，我能看見草木連綿地伸向遠方，而遠山在陽光下明顯地浮現它銀色的小路。

和著母親在祖墳焚香已是一種習慣，我們常帶簡單的祭品去墓前重認家族的訓示。今天，我又和母親站在一座座的墳前默哀。當我又站在小惠和小偉的墓前時，如何我竟泣不成聲。母親過來拍拍我的背。她說：「信夫，祖訓是那樣地淸楚，你不應該有憾。」哦，不！母親，我的遺憾是如何大啊！

25.

10月 日

一個瘟疫在東部流行。林山來信說，辛大夫過著酗酒的生活。

26.

11月　日

十一月，北部的L核廠爆炸，迫使北部居民向南遷徙五十公里，死傷難計，我確證陳瑪麗在這意外事件中喪生。

27.

11月　日

圓圓的月亮在鄉間浮上來，入冬的月亮培養我巨大的憾恨。如何我突然強烈地又想起所有的舊事。小惠的顏容映著月亮復甦在我的眼前。她烏溜溜的眸子和長髮，她的搖椅和沉思，以及懷著的我的孩子。我們那苦難歲月的二年相逢，她說過她要逃離島嶼，進入古叢林，和她終生奉行不渝的崇高與美麗（我相信這一點是我萬萬也比不上她的），我們的鬥嘴、黃昏的岬角並坐。

我究竟該如何才能呼喚到她？……

28. 11月 日

今夜，我忽然有死的念頭。

我想我該履行我與小惠相守的諾言。結束我這個懦弱和無意義的人生。我感到一種錐心痛苦的愉快，小惠的眼睛和微笑使我溢滿了生命的富足，我去摸索書房桌前一瓶速死的藥……

（日記終）

O.

阿爾伯特先生和波爾趁著黎明的微光，疾疾地走離了「TNN」村，沿著暴廢不堪的路，又回到濁水溪支流的河口。三月的海水多麼地飽滿溫柔，但他們的心臟顯然猛跳不停，他們的蓋格儀器的滴答聲使他們一夜不能入睡。他們一致同意，回到他們的國家後必須做一次徹底的全身檢查。

他們把李信夫的日記攜帶出來，阿爾伯特先生從沒想到二〇〇一年他離開臺灣後竟然發生了這麼遺憾的事。他不知道該不該修正他的「政治虎克定律」，但他感到非常非常的遺憾。

「我們應不應該把他的日記發表呢？」波爾說。

「當然。」阿爾伯特先生說：「就第三世界來說，**這個島是第一個變成廢墟的島**，我們有義務因著這種不幸而警告任何國家。」

「他們的犧牲太大了。」波爾說。

他們去解開快艇的繩纜。

「波爾，」阿爾伯特先生說：「依你的看法，我們現在該繼續那個地方的旅行呢？」

「如果不錯，我提議到亞馬遜河去，那兒的巴西政府全面地砍伐沿河的森林，使北美南方開始出現沙漠。」波爾說：「另外在資料上顯示埃及的阿斯旺水壩也值得去一趟，如果不錯，那個水壩現在已使埃及人三〇%以上都染上血絲蟲病。」

波爾坐在駕駛座裏，輕輕發動引擎。

「阿爾伯特，」波爾望著洋面說：「我還有個疑問不明白，我們怎能想像在放射性的這個島上還會有人生存下來呢？並且只有這個日記的主角的族人才生存下來呢？他們多麼奇怪。」

「他們是挪亞。」阿爾伯特先生鄭重地說：「這是一個秘密。如果按照東方人的說法，這就是一個公案。」

「『KON—AN』？多麼有意思的公案。」波爾笑起來了。

小艇啪啪地駛向洋面，巨大的水一片浩瀚，一會兒，當他們回首時，那個島只剩一個點，隱沒入整個海天之中。

福爾摩沙紀事

From Far Formosa

馬偕台灣回憶錄

19世紀台灣的風土人情重現

百年前傳奇宣教英雄眼中的台灣

台灣經典寶庫

譯自1895年馬偕 著 《From Far Formosa》

回憶在滿大人、海賊與「獵頭番」間的激盪歲月
Pioneering in Formosa
歷險福爾摩沙
台灣經典寶庫5
W. A. Pickering
(必麒麟)原著
陳逸君 譯述
劉還月 導讀
19世紀最著名的「台灣通」
野蠻、危險又生氣勃勃的福爾摩沙
Recollections of Adventures among Mandarins, Wreckers, & Head-hunting Savages
前衛出版
AVANGUARD

C. E. S. **荷文原著**
甘為霖牧師 **英譯**
林野文 **漢譯**
許雪姬教授 **導讀**
2011.12 前衛出版 272頁 定價300元

被遺誤的台灣

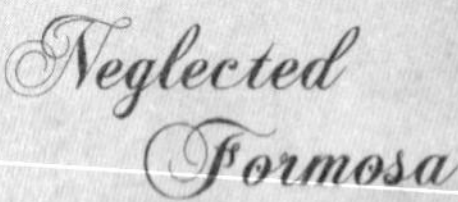

荷鄭台江決戰始末記

1661-62年，
揆一率領1千餘名荷蘭守軍，
苦守熱蘭遮城9個月，
頑抗2萬5千名國姓爺襲台大軍的激戰實況

荷文原著 C. E. S.《't Verwaerloosde Formosa》(Amsterdam, 1675)
英譯William Campbell "Chinese Conquest of Formosa" in《Formosa Under the Dutch》(London, 1903)

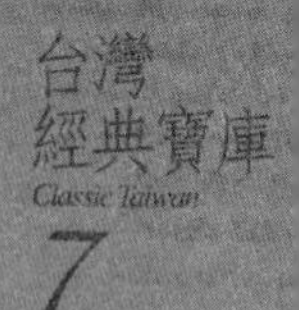

南台灣踏查手記

原著｜ Charles W. LeGendre（李仙得）
英編｜ Robert Eskildsen 教授
漢譯｜ 黃怡
校註｜ 陳秋坤教授

2012.11 前衛出版 272 頁 定價 300 元

從未有人像李仙得那樣，如此深刻直接地介入 1860、70 年代南台灣原住民、閩客移民、清朝官方與外國勢力間的互動過程。

透過這本精彩的踏查手記，您將了解李氏為何被評價為「西方涉台事務史上，最多采多姿、最具爭議性的人物」！

節譯自 *Foreign Adventurers and the Aborigines of Southern Taiwan, 1867-1874*
Edited and with an introduction by Robert Eskildsen

國家圖書館出版品預行編目（CIP）資料

廢墟台灣 / 宋澤萊作 . -- 初版 . -- 臺北市：前衛，2013.12
248 面；14.8×21 公分
大地驚雷：宋澤萊小說集（深情典藏紀念版）
ISBN 978-957-801-729-0（平裝）

863.57　　102023741

大地驚雷：宋澤萊小說集 III（深情典藏紀念版）
廢墟台灣

作者　宋澤萊
責任編輯　鄭清鴻
美術編輯　蘇品銓
出版者　前衛出版社
10468 台北市中山區農安街 153 號 4F 之 3
Tel: 02-25865708 Fax: 02-25863758
郵撥帳號 05625551
e-mail: a4791@ms15.hinet.net
http://www.avanguard.com.tw
出版總監　林文欽
法律顧問　南國春秋法律事務所林峰正律師
總經銷　紅螞蟻圖書有限公司
台北市內湖舊宗路二段 121 巷 28、32 號 4 樓
Tel: 02-27953656 Fax: 02-27954100
出版日期　2013 年 12 月初版一刷

定價　新台幣 250 元

Printed in Taiwan ISBN 978-957-801-729-0

☑「前衛本土網」http://www.avanguard.com.tw
☑ 請上「前衛出版社」臉書專頁按讚，獲得更多書籍、活動資訊：
http://www.facebook.com/AVANGUARDTaiwan

大地驚雷——宋澤萊小說集
第 17 屆國家文藝獎·深情典藏紀念版

《廢墟台灣》

除了核電廠的問題，噪音、浮塵、農藥、水資源、山林濫墾……及各種人性、文化的污染也十分厲害。……你不能決定環境，那麼環境將這樣地決定你。——《廢墟台灣·序》

大地驚雷——宋澤萊小說集

第 17 屆國家文藝獎·深情典藏紀念版

隨書附贈各冊專屬典藏明信片、書籤組

書籤

明信片